AH, SE EU SOUBESSE...

NOSSA MISSÃO

Levar ao leitor
informações e diferenciais competitivos,
questionamentos profissionais e pessoais,
tendências, novas formas de abordagem,
visando o desenvolvimento máximo
da nossa sociedade.

Estar sempre nos antecipando
em busca do capital maior :
a informação,
inserida no seu contexto global ou
nas peculiaridades da nossa cultura.

Garantir qualidade e seriedade,
na procura do equilíbrio de vida
e na valorização da criatividade.

BOA LEITURA!

Negócio Editora

AH, SE EU SOUBESSE...

O Que Pessoas Bem-Sucedidas Gostariam de Ter Sabido 25 Anos Atrás

RICHARD EDLER

Tradução
Marcelo Candido de Melo

NEGÓCIO EDITORA

Publicado através de acordo com G. P. Putnam's Sons of The Putnam Berkley Group, Inc.

Revisão - Alice Miyashiro
Editoração Eletrônica - Oficina Editorial
Capa - Adriana Conti/Z Graph Design

03 02 01 00 99 16 15 14 13 12

Negócio Editora Ltda.
Rua Princesa Isabel, 1506
São Paulo - SP
CEP: 04601- 003

Fone/fax: (011) 5561-4244
e-mail: negocioe@ruralsp.com.br

AGRADECIMENTOS

À minha esposa, Kitty, e meu filho, Rick, que me deram amor, apoio, e me encorajaram a escrever este livro e realizar um sonho. Ninguém pode dar presente maior a uma pessoa.

Agradeço, ainda, a Greg Shapiro, Lyn Teven, Stacy Creamer e Eric Simonoff, que acreditaram neste livro desde o início e apoiaram com empenho a sua edição.

Os agradecimentos são extensivos também a duas organizações especialmente importantes na minha vida e na elaboração deste livro: a Organização dos Jovens Presidentes (Young President's Organization) e a Associação Americana das Agências de Propaganda (American Association of Advertising Agencies).

E, mais importante, agradeço a cada pessoa que contribuiu para este trabalho. São pessoas que estão compartilhando as suas mais puras *hindsights* e sua sabedoria por uma razão — devolver um pouco da sua experiência nos negócios e na vida, para que outros possam dar seu salto inicial.

Este livro é dedicado à memória de
Mark Merryweather Edler
1973-1992

SUMÁRIO

INTRODUÇÃO

Este livro é uma coletânea de respostas de diferentes pessoas a uma mesma questão: "O que você sabe agora mas gostaria de ter sabido 25 anos atrás?".

O trabalho de coletá-las começou há doze anos. Eu era presidente de uma agência de propaganda em Los Angeles e fui convidado para discursar na formatura de uma turma da California State University, em Bakersfield. A honra pelo recebimento do convite levou-me a aceitá-lo. Mas a responsabilidade fez-me parar para refletir e me perguntar o que poderia eu oferecer de real valor àqueles jovens universitários, prontos para começar suas vidas profissionais. A resposta vinha-me muito vaga.

Do meu ponto de vista, eu não tinha a experiência de vida necessária para acrescentar algo de importante para aqueles estudantes. Mas eu tinha algo único — um emprego que me propiciava bom acesso a presidentes e diretores de muitas empresas. Então, para preparar o meu discurso, perguntei a dez clientes aquela questão: "O que você sabe agora mas gostaria de ter sabido 25 anos atrás?". As respostas foram divertidas e formaram a estrutura do que se transformou num belo discurso.

Desde então, a pequena coletânea vem aumentando. Algumas idéias conflitam com outras. Alguns pensamentos são densos.

Outros, mais leves. Uns poucos estão guardados pelo anonimato, por vontade dos seus autores.

Grande parte desses colaboradores são do meio publicitário, porque este é o meu *background*. Mas duas características são comuns a todos eles: a primeira é que todos se encontram no topo do seu campo de atuação, e a segunda é que se preocupam em dividir honestamente suas *hindsights**, na esperança de atuar como mentores de alguém. Eu não posso imaginar melhor forma de retribuição à sociedade.

No livro, as idéias aparecem aleatoriamente, como num bufê *self-service*. Selecione aquelas que irão ajudá-lo. Em alguns casos, eu adicionei, em colunas destacadas nas páginas, pensamentos ou comentários meus.

Meu desejo é que você saiba agora, para facilitar alguns dos seus passos, o que outras pessoas desejariam ter sabido no passado — ensinamentos que, decerto, aprenderam da maneira mais dura.

–Richard Edler

Nota do Tradutor:
A expressão *hindsight* tem significado muito particular no idioma inglês, sendo difícil a sua tradução para a língua portuguesa. Trata-se, na verdade, de um conceito. *Hindsights* são conselhos baseados em experiências de vida, são percepções muito pessoais advindas de aprendizagens acumuladas durante um período.

O que um homem sabe aos cinqüenta que ele não saberia aos vinte é, em grande parte, incomunicável... todas as observações úteis sobre a vida passíveis de transmissão podem ser bem conhecidas por um homem de vinte anos tão atento quanto um de cinqüenta. Tudo pode ter-lhe sido contado, ele pode ter-se entregue a toda a literatura a respeito, mas ele não viveu totalmente as experiências.

O que se sabe aos cinqüenta que não se sabe aos vinte não é o conhecimento de fórmulas ou formas de palavras, mas sim de pessoas, lugares, ações — um conhecimento derivado do toque, da visão, da audição, das vitórias e derrotas, da insônia, da devoção, do amor — e de experiências humanas e emoções deste planeta, de si próprio e de outro homem. Talvez, também, de um pouco de fé e de uma pequena reverência às coisas que não podemos ver.

—Adlai E. Stevenson

De um discurso para os formandos da Princenton University, 1954.

O MAIS IMPORTANTE PRIMEIRO:

COISAS QUE VOCÊ DEVE SABER AGORA

O Mais Importante Primeiro: Coisas Que Você Deve Saber Agora

Você é 100 por cento responsável pela sua própria felicidade.

Os outros não são responsáveis por ela. Os seus pais não o são. A sua esposa também não o é. Você está sozinho. Então, se você não está feliz, só você pode mudar alguma coisa. Este "conserto" não depende de ninguém mais.

–Dr. Gerald D. Bell
Professor, Kenan-Flagler
Graduate School of Business
University of North Carolina

Esta é a minha definição favorita de meta. Quais são os seus sonhos e metas? Para descobrir, tente esta regra:

1. Faça uma lista. O que você faria se tivesse apenas seis meses de vida? Se nunca tivesse que se preocupar com dinheiro de novo? Este é o verdadeiro você.

2. Crie uma imagem ideal de si mesmo daqui a cinco anos: onde você está e o que está fazendo? Com quem?

3. Imagine o seu próprio enterro. Três pessoas aparecem para te elogiar — uma da sua família, uma dos negócios e uma outra, da comunidade. Quem são elas? O que dizem sobre a sua vida? O que você gostaria que dissessem?

A diferença entre essas respostas e o que você é hoje deve ajudá-lo a definir as suas metas.

Tenha uma meta. Uma meta é apenas um sonho com um *deadline*.

—Marjorie Blanchard
Escritora

Quando estiver em dúvida, aja.

Na minha carreira, assim como nos meus investimentos pessoais, tentar coisas novas valeu a pena em 90 por cento das vezes. Eu estou feliz por ter feito isto, não gostaria que tivesse sido diferente.

Mesmo os 10 por cento das experiências não tão boas ajudam a valorizar ainda mais os 90 por cento.

—DAVE CHRISTENSEN
SÓCIO, ERNST & YOUNG

O Mais Importante Primeiro: Coisas Que Você Deve Saber Agora

Quando você tem vinte anos, você tem tempo. Experimente. Explore. Não tome decisões rapidamente.

Aos vinte, você descobre do que gosta e do que não gosta.

Em algum momento dos seus trinta, você encontra a sua carreira.

Quando vêm os quarenta, você constrói sua carreira.

E somente aos cinqüenta anos você a curte.

Todos precisamos relaxar mais. Precisamos de perspectivas para avaliar nossas conquistas. O processo de mensuração é mais produtivo se medido em décadas.

–Cochrane Chase
Ex-*chairman*,
Cochrane Chase Livingston

O Mais Importante Primeiro: Coisas Que Você Deve Saber Agora

1. Faça o que é correto. Se você não está seguro, pergunte a si mesmo o seguinte: "Como estas ações seriam vistas se publicadas na primeira página do jornal que os meus pais lêem?" Você não precisa mentir ou trapacear para ser bem-sucedido na vida.

2. Faça uma lista "secreta" das coisas que você quer fazer. Guarde-a em sua carteira e leia-a de tempos em tempos. A lista pode incluir, por exemplo, uma corrida de balão, um *raft* num rio do Colorado, a pesca de um peixe de três quilos, uma visita ao Taj Mahal, escalar o Great Wall ou um esqui na neve. Não esqueça os pequenos prazeres — um pôr-do-sol, uma caminhada na praia, uma cerveja gelada, um beijo atrás da orelha. Desenvolva uma larga experiência. Não estabeleça uma definição de si próprio apenas pelo trabalho.

–Tom Johnson
Presidente, Cable News Network

O Mais Importante Primeiro: Coisas Que Você Deve Saber Agora

Você se dirige ao trabalho todos os dias para resolver problemas.

Se acidentes de percurso, falhas, conflitos de personalidade e a Lei de Murphy deixam você louco, não entre no mundo dos negócios.

Resolução de problemas é o principal objetivo e satisfaz àqueles que amam o mundo dos negócios. Dê boas-vindas a eles.

–Pleasant Rowland
Presidente e *CEO (Chief Executive Officer)*, Pleasant Company

infelicidade = imagem – realidade.

–Dennis Prager
Apresentador de rádio e televisão, erudito em religião, escritor e palestrante.

Essencialmente, Dennis acredita que somos infelizes quando temos uma imagem para nós mesmos que não podemos sustentar — por exemplo, um casamento perfeito e uma independência financeira aos quarenta. Mas esta é uma imagem não condizente com a realidade de muitas pessoas. Surge aí, então, o *gap* da infelicidade (i — r) entre o que imaginamos e o que somos na verdade.

Na equação de Dennis, você só pode fazer duas coisas: modificar a sua imagem ou a sua realidade. O melhor a fazer é modificar a sua imagem. Isto quer dizer: em vez de focar no que você não tem, reconheça o quanto já conseguiu.

Dennis acredita que a chave principal para a felicidade não é o dinheiro, poder, amigos ou saúde. Mas, sim, a gratidão. A inveja destrói a felicidade. A gratidão a assegura.

O Mais Importante Primeiro: Coisas Que Você Deve Saber Agora

Apareça e continue se mostrando. Um dia você vai ver que está frente à linha de chegada.

–Tom Coleman
Presidente e *CEO*,
Coleman Homes

O Mais Importante Primeiro: Coisas Que Você Deve Saber Agora

A coisa mais importante que aprendi é que não se pode forçar as coisas — situações ou pessoas.

Quando eu comecei a trabalhar, o estilo Kennedy de ativismo era a maneira de liderar; eu tinha que identificar um problema antes que os outros soubessem da existência dele, tinha que montar um plano e solucioná-lo — mesmo que tivesse de enfatizar e reforçar a sua solução para um *staff* que não compartilhava do meu senso de urgência.

Mas, um dia viajei e não tive tempo de limpar a minha caixa de entrada. Ao retornar, dez dias depois, eu descobri que 90 por cento dos problemas haviam sido resolvidos na minha ausência.

Conclusão: todos os tipos de políticas espinhosas e questões pessoais têm que "marinar" um tempo antes que a melhor solução venha à tona. E quando a solução aparece, as pessoas mais facilmente a reconhecem e a aceitam. Mais do que isso, em alguns casos elas sugerem a solução antes que o líder a tenha que impor. Assim elas não se sentem coagidas.

Quase todos os erros que eu cometi como editor da *Newsweek*, na revista *New York*, e, agora, na *Esquire* aconteceram porque eu estava convencido de que agir precipitada e decisivamente era o melhor a fazer, quando, de fato, eu tinha tempo — mesmo que apenas meia hora — de encontrar a ação certa no meio da confusão e da ansiedade do momento.

–Edward Kosner
Editor Chefe,
Esquire Magazine

Lute por alguma coisa.

–Li Lu
Líder Estudantil
(Praça Tiananmen)

Um dia, no escritório do *chairman* da nossa empresa, eu vi uma foto do corpo diretivo da faculdade. No centro estava um senhor com as costas curvadas.

Nosso *chairman* explicou que aquele homem era o diretor. Este, quando jovem, era um pianista profissional muito dedicado. No entanto, um acidente danificou-lhe as costas. Na ocasião, os médicos lhe indicaram um único caminho entre duas alternativas: ele poderia ter as suas costas tal como antes, mas não mais tocaria piano, ou então, se optasse por continuar a tocar, teria suas costas curvas, nunca mais eretas. Ele escolheu o piano.

Eu não estou certo de que tomaria a mesma decisão, mas admiro profundamente o seu comprometimento.

Vinte e cinco anos atrás, eu gostaria que alguém tivesse me contado que, apesar de o trabalho ser muito importante, as coisas mais fundamentais são a família e os amigos.

Muitas vezes eu preferi atividades ligadas a negócios e viagens, e hoje elas me dizem muito pouco quando comparadas aos jogos de futebol, jantares com amigos e reuniões íntimas que não podem mais ser recapturadas.

Um dia, perdi o meu emprego de dezenove anos, sem razão alguma, exceto pelo desejo da empresa de cortar o *budget*. Então, eu concluo: encontre um tempo para a sua família e seus amigos, para se exercitar, rir mais e conversar com pessoas de fora da empresa.

–Charles Schmuck
Empresário, *Performing Arts Magazine*

Se você não tomar conta do seu corpo, onde você vai viver?

–Peggy Ayala
Camino Health Center

Por toda nossa, vida ouvimos: "Alimente-se corretamente e faça exercícios". Todos sabemos o que fazer. Mais de 65 por cento das pessoas nos Estados Unidos afirmam estar "fazendo regime" ou "cuidando do peso". É muito difícil fazer disto uma prioridade. Mas vale a pena. Como diz um velho anúncio: "Quando você tem sua saúde, você tem tudo". Quando você adoece, o que você faz é nada mais do que se recuperar de novo. Uma boa condição física ajuda-o a pensar mais claramente e funcionar melhor durante o dia. Os benefícios do *fitness* — saúde, eficiência no trabalho, poder de atração sobre o outro sexo, auto-imagem positiva — são, por si só, evidentes. Faça disto uma prioridade.

O Mais Importante Primeiro: Coisas Que Você Deve Saber Agora

Quando os seus filhos nascerem, e nos anos seguintes, escreva-lhes cartas nas datas de aniversários. Ponha-as num lugar seguro e não conte a ninguém. Entregue-as a eles quando completarem 21 anos.

–Richard Gold
Presidente,
R.N. Gold & Company

Você não consegue vencer os juros compostos.

Se você começa a economizar uma quantia fixa aos vinte e seu irmão gêmeo, aos trinta, aos 65 anos você vai ter duas vezes mais dinheiro que ele. Isto vale também para o amor e o investimento em seus filhos. Nunca é muito cedo para começar.

–Larry Higby
Presidente, Unocal Corporation
76 Products Company

O Mais Importante Primeiro: Coisas Que Você Deve Saber Agora

O Mais Importante Primeiro: Coisas Que Você Deve Saber Agora

Há três *hindsights* que eu sugiro aos meus filhos — a importância do foco, a tenacidade e a seleção de um nicho.

Mantenha o foco no trabalho de curto prazo. Nós parecemos ser uma sociedade sem disciplina e concentração.

Continue fazendo isto e esteja preparado para os tombos. Acredite ou não, os tombos virão. Mesmo os mais glamourosos empregos do mundo não são sempre jogos e diversões.

Selecione o seu nicho. É muito difícil ser bem-sucedido num campo de atuação lotado. Eu descobri que uma pessoa pode se mover mais rapidamente se selecionar um segmento de um campo lotado e se tornar um *expert* nele. Um advogado que inicie sua carreira como generalista irá ter um desenvolvimento lento. Agora, se ele selecionar um nicho como, por exemplo, as leis do esporte, a oportunidade do crescimento será mais rápida.

Procure pelos principais segmentos do seu campo de atuação e torne-se um especialista. Você crescerá mais rápido do que imagina.

–JOE POTOCKI
PRESIDENTE, JOSEPH E. POTOCKI & ASSOCIATES

Siga as batidas do seu coração.

–PETER UEBERROTH
CHAIRMAN, JOGOS OLÍMPICOS
DE L.A. (1984),
EX-DIRIGENTE DE BEISEBOL

Em 1991, falando para estudantes da University of Southern California, Peter utilizou-se desta frase. Se você seguir o que ama, todas as outras coisas boas, inclusive dinheiro, seguirão com você. Focar no resultado — isto é, ganhar muito dinheiro — é atraso.

Muitas pessoas pedem-me para ajudá-las a descobrir a coisa certa a fazer na vida. De fato, a resposta mais freqüente para a pergunta deste livro — "O que você gostaria que alguém lhe tivesse contado 25 anos atrás? " — tem sido muito simples: "Eu gostaria que me tivessem dito para seguir o meu sonho."

O QUE VEM DEPOIS:

COISAS QUE REQUEREM ANOS DE EXPERIÊNCIA PARA VOCÊ DESCOBRIR PORQUE NÃO PARECEM LÓGICAS, EMBORA FAÇAM MUITO SENTIDO

O Que Vem Depois: Coisas Que Requerem Anos de Experiência Para Você Descobrir Porque Não Parecem Lógicas, Embora Façam Muito Sentido

Sempre encontre as pessoas na sala delas, não na sua.

Quando alguém lhe perguntar "Posso te encontrar?", você responde "Claro, estou indo para aí".

Existem dois benefícios nesta postura: (1) você sai um pouco da sua mesa e anda pelo escritório, e (2) você pode sair quando chegar a sua hora.

Além disso, você é visto pelos outros — e sempre se aprende pelo menos uma coisa nova quando se circula pela empresa.

–Dick Schlosberg
Editor e *CEO,*
The Los Angeles Times

Abra sua correspondência às 4h30 da tarde.

–Charlie Ferguson
Ex-gerente de Propaganda,
Procter & Gamble

Abrindo sua correspondência às 16h30, **você tem condições de ter o dia que você planejou.** Você cumpre as tarefas importantes que definiu para o dia e não deixa que uma correspondência ou uma ligação o dirija. Então, às 16h30, depois de cumprir o que você definiu como importante, dedique-se à correspondência e a utilize para planejar o seu dia de amanhã.

Humor, confiança e atitude positiva superam a inteligência, os contatos e a experiência na determinação dos que vão para frente e dos que ficam (embora os três últimos atributos também contem bastante.)

–Sally Koslow
Editor Chefe,
McCall's Magazine

Cometa muitos erros.

Erros são o combustível para o desenvolvimento da sua carreira. Aprenda como dar a volta por cima. Assim, você nunca incorrerá no mesmo erro duas vezes. Faça isto e a sua carreira irá progredir muito mais que a de seus companheiros conservadores.

–J. Melvin Muse
Chairman e *CEO*,
Muse Cordero Chen

Faça o importante, não o urgente.

–Anônimo

Em 1972, na Flórida, um avião teve uma pane ao decolar. Segundo algumas reportagens a respeito, a caixa preta revelou que o piloto e o co-piloto estavam tentando consertar uma luz indicativa em mal funcionamento quando, literalmente, voaram com o avião para o chão. Eles estavam fazendo algo que poderia ser urgente, mas não importante naquele momento.

Existe um velho ditado entre pilotos: "O principal é fazer o avião voar".

Devote o seu tempo para as coisas importantes. Delegue o restante.

O Que Vem Depois: Coisas Que Requerem Anos de Experiência Para Você Descobrir Porque Não Parecem Lógicas, Embora Façam Muito Sentido

Não escute a sua mãe.

A minha mãe sempre me aconselhou a dizer, antes de expressar qualquer opinião: "Eu penso", em vez de "Eu sei". Com isto, ela acreditava que eu nunca ficaria embaraçada ao deparar-me com provas em contrário. E parecia um grande conselho para uma senhorita bem-comportada como eu. Ela falhou ao não me avisar que, embora nunca ninguém provasse que eu estava errada, eu também nunca estaria certa.

O que eu aprendi é que, no mundo dos negócios, os líderes querem se cercar de pessoas que "saibam", não daquelas que hesitam. No começo da minha carreira, eu fui preterida em uma promoção porque parecia tímida no meu modo de liderar, em comparação a outros insolentes "conhecedores." Eu realmente "sabia", mas propus-me um treinamento para não mais agir daquele modo. Manter-me acreditando no meu próprio processo de pensamento exigiu-me um esforço cognitivo. Eu "sabia", e na maior parte do tempo eu "sabia" que estava certa.

Nos últimos tempos, a minha carreira progrediu bastante, mas perdi alguns valiosos anos e mesmo um casamento, em grande parte devido à insegurança anterior. Então, não deixe sua mãe ou qualquer outro adulto lhe transmitir seus sentimentos ou palavras de insegurança.

P.S.: Mesmo assim eu amo minha mãe.

—Rita Rao
Ex-vice presidente,
Mattel Toys

O Que Vem Depois: Coisas Que Requerem Anos de Experiência Para Você Descobrir Porque Não Parecem Lógicas, Embora Façam Muito Sentido

Este talvez não devesse ser o modo das coisas, mas geralmente é assim que acontece. As pessoas procuram sinais da sua competência antes que você tenha uma chance de demonstrá-la.

Então, caminhe rápido e animado, entre nas salas com um sorriso na face e com uma atitude de comando. Antes de falar para um grupo, discretamente coloque-se num plano superior. E se você deseja ter sucesso nos negócios, aprenda a falar em público. Existe algo nas palavras ditas de cima de um púlpito que acrescenta uma majestade impossível nas conversas normais.

Obviamente, você deve saber manter tudo isto com a sua própria competência. Mas as primeiras impressões contam muito. Se você causou uma má primeira impressão, a sua viagem vai ser muito mais longa. Alguém uma vez disse: "Não é o que você sabe que importa, mas o que as pessoas pensam que você sabe".

Aparentar ter competência é tão importante quanto a própria competência.

–Chuck Lieppe
CEO, Berol Corporation

Não se preocupe em ser demitido. Se a situação realmente pedir, mande o seu chefe para o inferno.

Você pode ser demitido, mas a ruptura, neste caso, é a melhor solução. Freqüentemente, o resultado é que você passa a ser mais respeitado e considerado com maior deferência pelas pessoas. Mais importante, você baixa o seu nível de estresse e se olha melhor no espelho.

No meu exemplo, e de muitos outros que tenho observado, bons profissionais sempre encontram um caminho melhor quando são demitidos.

Não acumule raiva, angústia e frustração. Apenas diga: "Dane-se!", e veja o que acontece. O prazer absoluto e a liberdade valem a ruptura, que acaba não acontecendo em 90 por cento dos casos.

O Que Vem Depois: Coisas Que Requerem Anos de Experiência Para Você Descobrir Porque Não Parecem Lógicas, Embora Façam Muito Sentido

Mas é lógico que um pouco de prudência deve nortear suas decisões.

–Jim Frawley
Presidente,
Frawley & Associates

Faça qualquer coisa para ter a sua primeira oportunidade numa boa empresa. Eu fiz isto. Outras pessoas que conheço também o fizeram. Esteja disponível para o que der e vier. Seja flexível. Você ainda não sabe tudo.

Eu me preocupo com a próxima geração — pessoas que gostariam de entrar na área, que eu entrevistei no escritório. Há uma falta de ambição e de desejo de aprender o negócio. Eu escutei coisas como "Não quero trabalhar das oito às oito todos os dias, porque não vou ter tempo para desenvolver meu lado artístico".

Você pode ter tido alguns cursos práticos na faculdade — isto lhe garante um bom senso sobre a história do negócio, mas você não o "conhece" realmente até que esteja dentro dele.

Para conseguir entrar no negócio, faça qualquer coisa, mesmo que seja alguns bicos.

–Kathy Jones
Vice-presidente de Marketing,
Universal Studios

Dê preferência a negócios que estejam com problemas ou atividades de reposicionamento de produto. Nunca comece numa posição onde tudo vai bem.

–Tom O'Sullivan
Presidente,
Weller & O'Sullivan

Isto é bom senso. Se você assume um negócio sadio e crescente, o melhor que poderá fazer é mantê-lo na rota. Entretanto, se assume uma marca com problemas, são grandes as chances de você inverter o jogo e se transformar num herói. Mesmo que não seja bem-sucedido, sempre existirá a justificativa de que você fez o seu melhor tentando resolver os "problemas fora de controle".

Ainda, quando você assume um negócio com problemas, a sorte está do seu lado. Muitos dos que receberam créditos por terem "transformado suas empresas" não têm a mínima idéia dos motivos que levaram às melhorias. Muitas vezes, isto deve-se à economia ou a mudanças na concorrência, e essas razões não dependem da pessoa que está no comando.

Esta frase foi retirada de um editorial de março de 1992. O *Journal* deu uma invertida no conceito de bom relacionamento nos negócios. No mundo da propaganda provavelmente não existe nada mais rápido para construir a moral do que se desfazer de um cliente — mesmo que os empregados estejam conscientes de que isto possa refletir em tempos difíceis e até implicar alguns cortes. Você sabe, sempre acaba acontecendo o contrário. A mídia está sempre destacando que este ou aquele cliente trocou de agência. As agências sempre se sentem vítimas dos caprichos dos clientes.

Depois de um tempo, você começa a aceitar este fato como sendo o modo como as coisas são. Mas as boas agências — ou qualquer empresa com clientes — também têm as suas próprias regras. E existem clientes que você realmente

Você pode demitir seus clientes.

–THE WALL STREET JOURNAL

O Que Vem Depois: Coisas Que Requerem Anos de Experiência Para Você Descobrir Porque Não Parecem Lógicas, Embora Façam Muito Sentido

não deseja e não irá suportar, apesar da atratividade da verba. Os seus empregados precisam saber que um comportamento abusivo não será tolerado por parte de nenhum cliente, não importando quão especial seja. Desta maneira, você e sua equipe podem realmente curtir os clientes que têm — porque vocês se selecionaram mutuamente. Isto muda o que você pensa sobre todo o resto. E faz com que as pessoas trabalhem de cabeça erguida.

O Que Vem Depois: Coisas Que Requerem Anos de Experiência Para Você Descobrir Porque Não Parecem Lógicas, Embora Façam Muito Sentido

Não tenha receio de começar uma carreira sem saber exatamente o que você quer fazer. Muito poucas pessoas sabem.

A partir daí, tome a iniciativa e faça as coisas acontecerem na sua carreira, ao invés de esperar que as coisas aconteçam.

Eu entrevisto diariamente pessoas que se comportam como se a formação ou a posição atual as qualificasse para o novo emprego. Interesse, entusiasmo e fazer a lição de casa podem ser muito mais valiosos.

–Peter Kelly
Sócio-gerente,
R. Rollo Associates

O Que Vem Depois: Coisas Que Requerem Anos de Experiência Para Você Descobrir Porque Não Parecem Lógicas, Embora Façam Muito Sentido

Não pense que você tem que vencer. O importante é você conseguir o que deseja.

–Phyllis E. Grann
Chairman e *CEO*,
The Putnam Berkley Group, Inc.

COISAS QUE É BOM VOCÊ SABER

Coisas Que É Bom Você Saber

O segredo do sucesso nos negócios é fazer o máximo de coisas certas e se manter vivo o suficiente para ter sorte. Existem três segredos que levam à sorte:

1. Negocie com pessoas decentes. É melhor fazer um mau acordo com pessoas decentes, do que o contrário.

2. Gerencie os custos, não as vendas. Lembre-se de que não há nada pior que os custos fixos.

3. Caia fora no momento certo. Venda um negócio quando a única alternativa para ele é continuar crescendo. Esta é a hora em que as pessoas pagam o melhor preço por ele — e se elas estiverem certas, Deus as ajude. Esta é a verdadeira relação ganha-ganha.

—JERRY E. GOLDRESS
PRESIDENTE, WHEREHOUSE ENTERTAINMENT. *CHAIRMAN*, GRISANTI, GALEF & GOLDRESS, INC.

Na minha vida existem três feriados principais: Natal, Páscoa e o Dia da Coleta.

O Dia da Coleta é uma manhã de sábado do mês de abril, quando os lixeiros passam coletando tudo que colocamos em frente da casa. Vocês não imaginam o quão ansiosamente eu espero por este dia durante o ano.

Compre um terço, quando muito, três vezes no máximo.

Pague pela qualidade e compre menos. Compre e use apenas boas roupas. Você terá uma aparência melhor, sentir-se-á melhor e economizará muito tempo de manhã ao escolher a roupa para vestir. Isto não se aplica somente para roupas, mas para tudo em sua vida.

E quando em dúvida, se desfaça do objeto. Livre-se da "velharia". Diminua o seu *closet*, os seus arquivos de trabalho e a sua bagagem pessoal em dois terços. Viaje leve através da vida e não carregado como uma tartaruga.

–Nita M. Allen
Presidente,
Meadway Productions, Inc.

Trabalhe pesado, tire vantagem deste fato e aproveite as oportunidades da vida. Daí, retribua.

–ORRIN HATCH
SENADOR NOS EUA

Coisas Que É Bom Você Saber

Nunca feche as portas.

Você nunca sabe quando o seu chefe de hoje poderá estar contratando-o de novo em uma outra empresa, promovendo-o nesta mesma empresa, ou ser simplesmente uma fonte de referência. Então, se estiver de saída, faça-o com apreço e elegância.

Também, envie uma carta de agradecimento a qualquer pessoa que empenhe algum tempo para ajudá-lo a encontrar ou deixar um emprego, ou qualquer evento durante este período. Uma mensagem escrita, de qualquer tipo — *e-mail*, telegrama, fax, o que seja —, nunca fica fora de moda. Sem exceções.

–Tony Hoyt
Ex vice-presidente,
The Hearst Corporation

Para decidir algo, primeiro escreva os prós e os contras, e depois tire uma cópia da sua lista. Em seguida, jogue o original fora e leia apenas a cópia. Ainda, datilografe em vez de escrever manualmente.

É sempre muito mais fácil tomar uma decisão livre da emoção quando se olha para uma folha de papel datilografada. Nunca mostre a sua lista de prós e contras para ninguém mais, ou você não estará sendo honesto consigo próprio ao elaborá-la.

—Dennis Pope
Ex-diretor financeiro,
Weintraub Entertainment

Coisas Que É Bom Você Saber

Quando eu era mais jovem, muitas pessoas me falaram, mas eu gostaria de ter sido convencido, da importância de estabelecer cedo metas significativas e bem-pensadas, mantendo-me atrelado a elas.

Minha carreira teria sido mais recompensadora se eu soubesse o que sei hoje a respeito de ter uma clara visão das coisas.

–Tom Lee
Presidente e *CEO*,
Newhall Land & Farming Company

Vinte e cinco anos atrás, eu gostaria de ter sabido que a minha carreira não precisaria evoluir em uma rota linear, mas que poderia ter também uma expansão mais caleidoscópica.

Quando jovens — homens e mulheres, recebemos ensinamentos sobre as velhas regras dos negócios: mantenha-se fiel aos ideais da organização, encontre um mentor, não vá contra a maré. Se eu soubesse que este molde se adequava apenas a algumas pessoas, e que eu não era uma delas, eu teria me poupado um bocado.

Com o tempo, eu aprendi que, apesar de ser o prego que mais vai tomar marteladas, aquele que fica voltado para cima é também o mais notado.

O mesmo é válido para o mundo da mídia, no qual estou inserido. Vinte e

Coisas Que É Bom Você Saber

cinco anos atrás quem poderia prever que a Internet se tornaria realidade ou que a TV a cabo iria oferecer tamanha variedade de canais. Os modelos antigos que pautaram nosso aprendizado ou estão morrendo ou já foram extintos, e novos modelos estão sendo criados diariamente.

–Robert Gottlieb
Vice-presidente Executivo,
William Morris Agency, Inc

Seja o primeiro ou o último em alguma coisa.

Depois do terremoto ocorrido em Los Angeles, eu fui o primeiro a começar a reparar e reconstruir casas, incluindo meu apartamento, e *shopping centers* na cidade. Tenho sempre sido lembrado por isto.

E se você é o último em algum feito, tem a vantagem de aprender com os erros dos outros.

Agora, ninguém se importa com quem é o segundo. Por exemplo, você pode dar os nomes dos pilotos que alcançaram a segunda colocação nas três últimas provas da Indy 500, ou o nome dos três últimos vice-presidentes?

Sempre fique na frente ou no fim de um desfile.

—Jack Jones
Presidente,
Greystone Management Group

Mais de trinta anos atrás, quando eu estava no meu primeiro emprego, alguém me aconselhou a entender profundamente o ambiente antes de me tornar um *superstar*.

Então, o melhor a fazer é observar muito: seja o mais solícito possível, sem ser rude, muito ambicioso ou assertivo. Tente ser visto como um membro do grupo o mais rápido possível. As pessoas vão reconhecer as suas qualidades sem que você tenha de alardeá-las pela organização. Se você tem uma grande auto-estima, as pessoas notarão isto sem você falar.

Depois de ter sido aceito numa organização, APROVEITE. E, a propósito, a maneira de ser reconhecido e ter crédito é compartilhar o máximo que você puder.

–George Green
Presidente e Gerente Geral,
KABC Los Angeles

Esta é uma *hindsight* que, na verdade, é fruto da minha perspicácia.

Em 1972, me foi oferecida promoção ao cargo de diretor de Criação. Eu a aceitei com uma condição: escolher minhas equipes. Eu não pedi aumento ou uma sala maior. Descobri que o dinheiro e os metros de sala viriam com o tempo, como, de fato, vieram.

Stokely Carmichael disse: "Todo o poder vem da base". Isto faz sentido quando você está no comando de um grupo barulhento. Muitas vezes é bem difícil comandar um grupo, você tem vontade de estrangular alguns.

Depois de escolher sua equipe, dê a eles *feedback*. Se for positivo, espalhe. Se for negativo, faça-o com cuidado, dando os créditos.

Finalmente, cerque-se de jovens do tipo "topa tudo". Eles têm muita

Coisas Que É Bom Você Saber

energia e contagiam o ambiente. Eles te empurram. Esteja preparado para gastar muito tempo com esses jovens e dividir as suas experiências. Só não repita a mesma velha história mais de três vezes, ou eles vão achar que você os está enrolando.

–Stanley Becker
Diretor de Criação,
Saatchi & Saatchi, New York

Não resista a mudanças; elas são eternas. A maior parte das coisas que eu planejei evoluiu para algo mais e não se transformou no que eu havia imaginado. Quase sempre as minhas expectativas se superaram. Deus está sempre criando algo novo.

Tenha coragem de arriscar, isto é essencial. No início, eu gastava um tempo tentando criar uma base sólida. Mas a base e as condições se mantinham em transformação. Mais tarde eu aprendi apenas a "buscar o objetivo". Como lição, estes foram os tempos onde as coisas mais positivas aconteceram na minha carreira e na minha vida.

A energia para correr riscos gera uma outra, que parece estimular as pessoas a colaborarem com você no alcance dos seus objetivos.

–Dr. Karl Johnson
Ministro Evangélico, Califórnia

Coisas Que É Bom Você Saber

Mesmo as pastagens mais verdes têm partes queimadas.

Nada é perfeito. Sempre existirá alguém que será o seu chefe, terá mais dinheiro ou dirigirá um carro melhor.

Para onde quer que você vá, você terá clientes ou consumidores, e será, por sua vez, cliente de outro alguém. Este é o jeito como as coisas acontecem — um tipo de "cadeia das carreiras". E é assim mesmo.

Pare de se preocupar com isso.

–Seth Dingley
Sócio Principal,
The Lakeridge Group

Estabeleça altos padrões e mantenha-os assim, nesse nível.

Se você tem interesse no sucesso, é fácil definir os seus padrões baseado na realização dos outros, e, depois, deixar que as pessoas o avaliem por tais padrões.

Mas os padrões que você define para si mesmo serão sempre mais importantes. Estes devem ser superiores àqueles que qualquer um possa lhe definir, porque, no fim, você terá que conviver consigo mesmo, julgar a si próprio e se sentir bem com isto. E a melhor maneira de isto acontecer é viver de acordo com o máximo do seu potencial.

Então, defina padrões exigentes e mantenha-os elevados, mesmo que você pense que ninguém mais está

Coisas Que É Bom Você Saber

observando. Alguém irá notá-los, mesmo que seja você.

–Dianne Snedaker
Presidente, Ketchum
Advertising, San Francisco

Aprender, ganhar, devolver — estas são as três fases da vida. O primeiro terço deve ser devotado para a educação, o aprendizado; o segundo, para construir uma carreira e um estilo de vida; e o último, mas não menos importante, para retornar alguma coisa para os outros, como forma de gratidão pelo alcançado. Cada estágio parece ser uma preparação para o próximo.

–Jack Balcusek
Presidente e *CEO*,
True North Communications

Coisas Que É Bom Você Saber

Aprenda a distinguir o que é um contratempo, um revés e uma tragédia.

A maioria das coisas ruins da vida são contratempo. Reveses são mais sérios, mas podem ser corrigidos. Tragédias, sim, são diferentes. Quando você passar por uma tragédia, verá a diferença. Todas as coisas na vida são colocadas em termos de proporção e perspectiva.

A probabilidade maior é de que o que está te angustiando agora seja apenas um contratempo. Então, relaxe.

—Ensinamento da
Young Presidents' Organization

De tempos em tempos, esteja preparado para trabalhar para pessoas estúpidas e suportar isto.

Não se transforme em uma delas. Não existe garantia de que este tipo de performance te levará a algum lugar.

Esteja consciente de que as pessoas para quem você trabalha têm sua própria agenda, e que esta muito raramente tem alguma conexão com a sua. E também, não pense que algo que você deseja seja simplesmente percebido por alguém. Se você deseja algo, tem que fazer com que as pessoas o saibam.

–Steve Skinner
Diretor de Segmento Senior,
Paramount Television,
Entertainment Tonight

Coisas Que É Bom Você Saber

A informação é tudo.

Se você sabe mais que todos, pensou mais a respeito e assimilou o que realmente importa no seu negócio, você terá sucesso.

Mas é preciso encontrar a hora certa para mostrar às pessoas os seus conhecimentos. Se os demonstrar apenas para impressionar os superiores, não vai funcionar. Use seu conhecimento e sua perspicácia apenas para desempenhar bem as suas funções.

E não importa o que os outros digam sobre o panorama geral — lembre-se de que Deus está nos detalhes.

–JEFFREY KLEIN
PRESIDENTE, *LOS ANGELES TIMES*
SAN FERNANDO VALLEY & VENTURA
COUNTY EDITONS

Coisas Que É Bom Você Saber

Especialize-se em alguma atividade.

Torne-se um *expert*. Pesquise e aprofunde-se numa área específica. Torne-se o foco de atenção da sua empresa em determinado ponto — o desenvolvimento de novas mídias, a comunicação interativa, o impacto de certa tendência, como o envelhecimento, ou qualquer outra coisa. Saiba mais do que qualquer pessoa sobre determinado tópico.

–Allen J. Larson
Diretor Regional de Mídia,
Evans Group Advertising

Não tema fazer uma mudança na sua carreira.

Pensando em 25 anos atrás, eu teria cometido um grande erro se não tivesse mudado de emprego algumas vezes. Uma empresa da qúal me desliguei quebrou e as pessoas que lá estavam passaram por um momento muito difícil.

Além disso, minha esposa também contribuiu muito para o meu sucesso. Então, uma outra dica: case-se com alguém que se interesse em ajudá-lo em sua carreira.

–Geraldo A. Fountain
Presidente,
Cool Carriers Inc.

Seja apaixonado pelo seu trabalho e tenha a integridade de defender as suas idéias. Mas também saiba quando fazer acordos.

Sem paixão você não será levado a sério. Se você não defender as suas idéias, ninguém irá fazê-lo por você. Quando algum princípio estiver envolvido, não mude de posição.

Mas considere o outro lado da história. Existem muito poucas pessoas "absolutas" na vida. A maior parte das questões envolve opinião ou gosto pessoal, não princípios. Ao discuti-las, reconheça que você pode fazer um acordo. Se você se transformar numa pessoa intransigente, irá perder oportunidades interessantes de se relacionar com outros de uma forma mais intensa.

–MEL NEWHOFF
VICE-PRESIDENTE EXECUTIVO,
BOZELL WORLDWIDE

No seu nascimento, você chorou e as pessoas se alegraram.

Viva a sua vida de tal modo que, quando você morrer, as pessoas chorem e você se sinta feliz pelo que viveu.

—Velha bênção do Oriente Médio

Quando você tiver oitenta anos e, sentado numa varanda, refletir sobre a vida que teve, como irá se sentir? A resposta não será dirigida para ninguém além de você mesmo; não o será para a sua esposa, seus pais ou seus colegas de trabalho. O que você fez com a vida que lhe foi dada de presente? Com certeza esta será uma questão importante no futuro. Então, faça dela uma questão importante também no presente.

É muito importante que você tenha convicção das suas decisões. Se você não a tiver, alguém vai saber disso.

Na indústria de entretenimento, quem quer que você encontre tem dois negócios: o dele próprio e o *show business*. Todos têm opinião sobre que filmes e programas de TV deveriam ser produzidos e sobre o que mudariam nos que já foram feitos. Mas ninguém ensina um médico ou um advogado a tomar conta dos negócios deles.

Embora esteja cercado de "*experts*" todos os dias, você deve confiar em si próprio e no seu julgamento, e, a partir daí, definir sua conduta.

–ROWLAND PERKINS
SÓCIO-FUNDADOR,
CREATIVE ARTISTS AGENCY, INC.

Todas as noites, faça-se a mesma pergunta: "Eu dei lucro para o meu empregador hoje?" Se a resposta for "sim", amanhã você terá um emprego. Se for "não", prepare o seu currículo.

Um empregado não pode ser apenas uma despesa para a empresa, mas, sim, um investimento que paga dividendos. Quanto maior for o dividendo, mais brilhante será o seu futuro.

Não espere um aumento por estar já há algum tempo na sua posição. Aumentos são dados porque você vale mais do que está sendo pago no momento. Valha mais do que está recebendo e em breve estará recebendo o que vale. Para isto, faça mais do que o esperado: chegue um pouco mais cedo, fique até um pouco mais tarde, e se você cumprir as tarefas, estabeleça outras. Você deve ter grandes idéias, mesmo que o seu chefe não o perceba.

–BUDDY WEISS
PRESIDENTE,
WEISS ADVERTISING

Gerenciar é o seu trabalho noturno.

–John Dooner
Chairman e *CEO*,
MacCann-Erickson Worldwide

John acreditava que o trabalho de administrar uma agência não se realizava atrás da mesa, mas fora dela — encontrando-se com clientes e com seus principais executivos, na tentativa de construir o negócio. A burocracia, ou o que John chamava de "gerenciamento" deveria ser o "trabalho noturno" dos gerentes. Você simplesmente não consegue construir um relacionamento por telefone ou *e-mail*. Por mais sofisticada que seja a superestrada da informação, eu não me importo. Sempre existirá a necessidade de fazer as coisas "cara a cara". As pessoas acreditam em quem elas vêem regularmente.

Não invista com amigos ou em negociações feitas por amigos sem efetuar uma análise com o mesmo cuidado que você teria com uma fonte desconhecida.

E quando você fizer uma associação, sociedade ou *joint-venture* com alguém, atenha-se aos relacionamentos de negócios passados, desde o ponto de vista individual, o tipo de pessoa com ele quem já se associou, o período de duração da relação e os resultados. Atenha-se mais aos resultados das relações pessoais do que das relações de negócios.

—HOWARD M. KOFF
PRESIDENTE E *CEO*,
WESTBURY FINANCIAL

Nunca se esqueça do valor de uma grande idéia. Em nosso caso, uma única grande idéia pode acrescentar de 600 a 700 milhões de dólares ao nosso faturamento anual.

—John Martin
Presidente e *CEO*,
Taco Bell

Nós estamos vivendo um mundo totalmente diferente, onde as telecomunicações, a interatividade, e também o "tamanho da sua RAM", são tão importantes quanto o tamanho da sua empresa. Mas não importa quão sofisticados estejamos tecnologicamente, sempre haverá um espaço prioritário para alguém com uma idéia melhor.

Se você faz tudo certo na sua carreira mas não tem grandes idéias, você está condenado à média gerência.

Tenha cuidado com o mito da mente gigantesca.

Este mito é o conceito de que, em algum lugar na base de grandes empresas ou organizações, existe um grupo de pessoas que sempre sabe o que está acontecendo. Geralmente isto não é verdade.

Eu gostaria que alguém tivesse me alertado sobre isto antes. Que alguém tivesse me orientado a focar mais para cima e me preocupar menos com a concorrência. Deste modo, mesmo que eu realizasse menos que a minha meta, estaria, ainda assim, acima do meu objetivo inicial.

Perdi algumas oportunidades porque pensava que somente os grandes — aqueles com as mentes gigantescas — seriam capazes de conseguir certas coisas. Depois, me dei conta de que estes "grandes" eram um grupo de pequenas pessoas, talvez com idéias menores que as minhas.

Não se intimide com o mundo à sua volta. A maioria das pessoas não tem soluções.

–Dennis Scully
Presidente,
Executive Page, Ltd.

Aqui estão as minhas dicas para a apresentação de um currículo, baseado na experiência de análise de vários deles durante os meus 55 anos de trabalho.

1. Clareza e organização contam. Erros de datilografia contam em dobro, negativamente. Se uma pessoa não sabe se apresentar bem, como posso esperar que seja melhor ao trabalhar para a minha empresa?

2. Eu nunca dou atenção a cartas de recomendação. Como um colega disse uma vez: "Eu nunca vi uma que falasse mal da pessoa apresentada".

3. Eu procuro por clareza, organização lógica, simplicidade, síntese e honestidade. Divida o seu currículo em seções como experiência profissional, formação, outras atividades e habilidades e dados pessoais. O que mais preciso saber?

Coisas Que É Bom Você Saber

4. Eu procuro por sinais excessivos ou irreais de performance. Um jovem candidato que, na sua empresa anterior, numa posição iniciante, ganhou dez milhões de dólares em um novo negócio está tomando todo o crédito pela ação.

5. A freqüência e a tendência a mudar de emprego são muito importantes. Meu pai ensinou-me que existem dois erros que um jovem pode cometer no início da carreira: mudar muito freqüentemente de emprego e não mudar freqüentemente de emprego.

Finalmente, eu nunca contratei alguém que se vangloriasse de ter trabalhado para a "Proctor & Gamble". Ou o candidato estava mentindo, ou era desatento a ponto de não corrigir o erro no nome da empresa. Para mim, as duas características são pecados imperdoáveis.

—Monty McKinney
Ex-*chairman*, Chiat/Day Doyle
Dane Bernbach/West
Kresser/Craig

Construa uma ampla rede de relacionamentos, muito além da sua zona de conforto.

A vida tem-me trazido para áreas novas e pouco familiares, como fusões, *takeovers*, busca e obtenção de um *franchise* na National Football League, e negociações de questões de direitos civis. Em cada estágio, o apoio que as pessoas de fora da minha área têm dado tem sido essencial.

—JERRY RICHARDSON
PROPRIETÁRIO E FUNDADOR,
CAROLINA PANTHERS.
CHAIRMAN,
FLAGSTAR COMPANIES, INC.

Coisas Que É Bom Você Saber

Esteja sempre pronto para romper um acordo.

–Charlie Coyle
Diretor,
New York Times Magazine

Esta é uma expressão de jogo: "Se você não pode perder, você não pode ganhar".

Você não pode negociar com alguém com quem não possa desfazer o acordo.

Se você precisa aceitar o emprego, não pode negociar o salário. Se você precisa manter o cliente para a salvação do escritório, não pode negociar a sua comissão. Mas se você pode romper o acordo, aí sim poderá se aproximar da mesa objetivando que as duas parte ganhem, ou fiquem simplesmente sem acordo.

COISAS QUE "PEGA BEM" VOCÊ SABER

Coisas Que "Pega Bem" Você Saber

Procure ter um intervalo de dois minutos entre uma reunião e outra, ou entre uma ligação e outra. Isto irá impedir que o tom do acontecimento anterior interfira no próximo. E você irá descobrir que a sua capacidade de análise ficará mais acurada, suas decisões, mais sábias, e sua ações, mais apropriadas.

–Susan J. Petersen
Editora, Riverhead Books

Agradeça a três pessoas.

–BILL BERNBACH
FUNDADOR,
DOYLE DANE BERNBACH, INC.

O ponto de vista do senhor Bernbach é simples. Quando algo realmente bom lhe acontecer, como ser promovido ou atingir uma meta de vida, pare alguns momentos e pense a quem deveria agradecer.

Pode ser um professor, um mestre, um mentor nos negócios de vinte anos atrás, um membro da sua família que ajudou você, aquela pessoa que lhe deu o maior incentivo. Mesmo que décadas tenham se passado, tente descobrir a quem você deveria dizer "obrigado". Isto o fará lembrar-se de que você não se fez sozinho. Irá mantê-lo humilde e será benéfico para aqueles que realmente fizeram uma diferença na sua vida.

Mantenha os seus olhos e ouvidos abertos e a boca fechada. Grandes fontes de ingenuidade o cercam.

Eu descobri que as inovações mais excitantes e criativas vieram dos empregados muito distantes da ação. Mas você deve pedir sugestões e estar disponível para escutar. Esta é a razão pela qual a política de portas abertas é parte da cultura da organização.

E quando as pessoas sentirem suas opiniões valorizadas, existirá um senso de propriedade na obtenção das metas, e isto não tem preço.

–Dick Loughlin
Ex-presidente e *CEO*, Century 21
Real Estate Corporation

Nunca reaja a uma situação de maneira emocional ou impulsiva. Na minha própria experiência, 90 por cento do meu sucesso em negociações de fusões e aquisições envolveu paciência. Noventa por cento do meu fracasso foi decorrência da falta dela. Não responda atirando. Reserve algum tempo para pensar. Esfrie a cabeça. Espere 24 horas e depois decida.

Por exemplo, quando um dos membros da sua equipe entra na sua sala com uma "surpresa" financeira três semanas antes do fim do ano fiscal, tente ouvir primeiro. Pode não ser tão ruim quanto você pensa.

Finalmente, quando você não consegue chegar a uma conclusão entre as várias alternativas e o *deadline* chegou, adivinhe, mude o *deadline*. A maioria dos prazos são artificiais e flexíveis.

Espere 24 horas para reagir.

–Selwyn Herson
CEO,
The Windsor Park Group

Eu percebo a importância da família e dos amigos, dos valores e ideais, mais do que 25 anos atrás. Conseguir um perfeito equilíbrio entre a vida pessoal e a profissional, e estar confortável com este balanço, é um produto da maturidade adicional.

–Sid Sheinberg
Presidente,
MCA Ind.

Coisas Que "Pega Bem" Você Saber

Há 25 anos, eu gostaria que alguém me tivesse dado a "Prece da Serenidade". Por meio dela, peço "a serenidade para aceitar as coisas que não podem ser mudadas, a coragem para mudar as coisas que posso" e, o mais importante, "a sabedoria para saber a diferença entre as duas".

–Pat Riley
Técnico de basquete

Ninguém se preocupa com o quanto você sabe até que saibam o quanto você se preocupa.

Esta é, na verdade, uma citação de Dave Maister, um consultor da Ogilvy & Mather, que me acompanha sempre. Um outro modo de expressar esta idéia é "não ligar é não estar se preocupando."

Estar em contato com os clientes significa tudo. Para mim, foi difícil perceber isto quando entrei no mundo da propaganda. Em alguns momentos, eu sentia que não tinha nada a dizer ou reportar, e telefonar aos clientes poderia ser uma considerável perda de tempo para eles. Errado. Os clientes precisam ver e conversar com seus fornecedores. Eles precisam saber o quanto você se preocupa.

Não se importe sobre o que dizer — os assuntos vêm naturalmente, e seu cliente provavelmente tem sua lista de assuntos. E lembre-se de ouvir primeiro. Apenas dê o primeiro empurrão e ligue os ouvidos. Estes contatos invariavelmente dão informações valiosas sobre como as coisas estão indo.

E esta regra também se aplica a novos negócios. Nos escritórios da Ogilvy há um ditado que diz: "Quando tudo permanece igual, as pessoas fazem negócios com quem elas gostam. E quando tudo muda, elas continuam a fazer negócios com quem elas gostam".

–Jerry McGee
Diretor gerente,
Ogilvy & Mather, Los Angeles

Desenvolva a sua memória. Isto pode ser muito importante. Eu me recordo de experiências e oportunidades perdidas simplesmente porque não me lembrava de um nome, de um lugar, ou mesmo de um número, e isto fez a diferença entre o sucesso e o fracasso.

–Greg Econn
Presidente,
James Econn & Co.

Parece muito simples. Dentre as mais importantes regras, está a de lembrar o nome das pessoas. Diz-se que o som mais doce ao ouvido de uma pessoa, em qualquer língua, é o som do seu nome corretamente pronunciado.

Ajude a outra pessoa também. Quando encontrá-la de novo, não brinque para checar se ela lembra o seu nome. Estenda a mão e diga o seu nome. A resposta vai ser "Claro que me lembro de você". Na maioria das vezes, as pessoas não estarão se lembrando, e secretamente agradecerão sua ajuda.

A gentileza pode ser a mais valiosa característica na construção de relacionamentos profissionais. Tenha um interesse pessoal nos colegas e nos contatos de trabalho. Isto irá produzir enormes oportunidades. E gentileza não custa nada.

–THOMAS A. MALOOF
PRESIDENTE E *CEO*,
PRIMEHEALTH OF SOUTHERN
CALIFORNIA

A verdadeira chave para o sucesso é considerar os outros em primeiro lugar: sua família, colegas de trabalho, amigos e clientes.

Eu acredito que entramos neste mundo como criaturas egoístas e passamos a maior parte do tempo tentando sê-lo um pouco menos.

Quando me casei pela primeira vez, eu e minha esposa vivíamos na Inglaterra. Meu foco estava inteiramente sobre a minha carreira. Eu acreditava ser um bom marido por garantir o sustento da casa, mas ignorava as necessidades emocionais da minha mulher, ao viver longe de casa. Gastei muito pouco tempo com os seus sentimentos e muito com os meus.

—Robert J. Bauer
Presidente,
Ray Cook Golf Company

Coisas Que "Pega Bem" Você Saber

Seja sempre pontual.

O respeito pelo tempo de alguém é o maior presente de todos. Pense sobre isto. O seu bem mais valioso — mas deteriorável — é o seu tempo. Quando alguém abusa dele chegando atrasado para uma reunião, você deve considerar um insulto. E o inverso é verdadeiro; nós devemos às pessoas a cortesia de respeitar o tempo delas e ser sempre pontuais. Melhor chegar uma hora mais cedo que cinco minutos mais tarde.

Geralmente, quanto mais alto você sobe numa organização, melhor é recepcionado e mais pontuais as reuniões. Líderes de verdade não deixam os outros esperando.

–Walter Merryweather
Ex- *CEO*,
Illinois Meat Company

Não é verdadeira a máxima: "Pessoas boas chegam por último".

Uma vez, alguém disse-me que não é importante ser gostado, que o importante é ser respeitado. Os dois fatores não são mutualmente exclusivos. Algumas pessoas que acreditam ser respeitadas, são, na verdade, temidas.

Seja você mesmo. Esteja seguro do seu conhecimento, de suas crenças, da sua sensibilidade para com os outros e da sua moral. Papéis são importantes, mas não tente representar alguém cujo estilo e valores não são compatíveis com os seus.

É verdade que muitos babacas alcançam o topo, mas você não precisa ser um deles para chegar lá.

–Simon M. Kornblit
Ex-vice-presidente executivo,
Marketing Global, Universal
Pictures

Coisas Que "Pega Bem" Você Saber

Quando alguém próximo a você sofre uma tragédia não apenas mande flores ou um cartão: mande você.

Não evite as pessoas quando estas perdem alguém em suas famílias. Entre num avião ou num carro e procure-as. Elas não irão se lembrar das suas palavras, mas também nunca irão esquecer que você as procurou. Esteja de novo com aquela pessoa depois de três ou seis meses, quando ninguém mais se lembrar do fato e todos já tiverem se afastado. Neste momento é que a amizade conta mais.

Também, sempre diga o nome da pessoa falecida. Todos à sua volta irão se afastar em silêncio, evitando o nome, como se a pessoa jamais tivesse existido, mas isto pode machucar mais.

–Harry Chandis
Ex-presidente,
Business Publications, Ziff-Davis
Publishing

Você não tem inimigos. Existem apenas algumas pessoas ou um grupo cujos sonhos, desejos e metas conflitam com os seus.

Então, não as odeie. Analise cada situação e veja como você pode obter os melhores resultados. Ao mesmo tempo, o seu adversário até poderá alcançar um relativo sucesso também, mas isto acontecerá a um custo mais baixo para você.

– Peter Caloyeras
Presidente do Conselho,
Magnetika, Inc.

A chave do sucesso pessoal e profissional é você ser sempre você mesmo e não o que os outros esperam. Diga o que quer dizer e seja autêntico. Este lema tem funcionado para mim.

–AL NIRENSTEIN
PRESIDENTE,
RODNEY STRONG VINEYARDS

Coisas Que "Pega Bem" Você Saber

Vinte e cinco anos atrás eu não conhecia o significado da palavra "equilíbrio". Agora eu sei. Significa aprender a dizer NÃO para uma próxima reunião, um jantar na associação, uma negociação de vendas, ou "Seria bom se você pudesse estar ...".

Eu sei agora que "equilíbrio" é você dizer SIM para deixar o escritório em tempo de torcer pelo seu filho no campeonato do colégio, e sem celular. É chegar um pouco mais tarde ao escritório porque você foi levar sua filha a aula, ou mesmo faltar um dia para fazer algo impossível de ser feito no final de semana, mas importante para você.

Que diferença fazem 25 anos.

—Brad Ball
Presidente,
Davis, Ball & Colombatto

Dê uma chance ao acaso. Você não tem que planejar ou tentar focar cada passo em sua vida.

Eu gostaria de ter tirado vantagem de tudo o que podia aprender quando era mais jovem. Eu gostaria de ter assistido a todos os cursos de História do Mundo e de cultura global, em vez de tentar tirar sempre "A" nos exames.

Enquanto você é jovem, relaxe. Você terá o resto da sua vida para aprimorar o seu foco.

–DR. CONDOLEEZZA RICE
DIRETOR, STANFORD UNIVERSITY

A verdadeira arma secreta para o sucesso é: se você quer ser o primeiro, vá para o fim da fila.

Estou falando da "regra de ouro": "Trate os outros como você gostaria que o tratassem". Ela tem sido aplicada por milhares de anos, por uma razão. É tão poderosa, tão à prova de futilidades, que deveria ser considerada ilegal.

Praticá-la todos os dias é garantir a abundância da paz, felicidade, riqueza de espírito e material além dos seus mais ambiciosos sonhos. Trate os seus clientes como se fossem as pessoas mais importantes da Terra. Queira seu cônjuge como se fosse da realeza. No trabalho com empregados, ponha as prioridades deles na frente das suas. Siga a mesma regra com a concorrência, vizinhos, assistentes, filhos, filhas, empregados domésticos e, até mesmo, com advogados.

Posicione essas pessoas à sua frente nos pensamentos e ações, e, então, você poderá parar de se preocupar com a vida. Por quê? Porque essas pessoas irão recompensá-lo e tomar conta de você. O amor que você dispensar a outros irá voltar a você amplificado, como uma onda envolvendo-o numa felicidade tal que ninguém seria capaz de atingir sozinho.

Conhecendo este segredo, não existirá outro modo de vida.

–Mark Choate
Gerente Senior de Portifólio,
Smith Barney, Inc.

Apague as luzes ao sair.

–Dick Ruud
Presidente,
Ruud & Partners

Esta *hindsight* é um "jogo de palavras". Quando entrar no seu escritório pela manhã e acender as luzes, imagine-se acendendo a si próprio. O seu motor está agora ligado e trabalhando a todo vapor. Mas quando você sair à noite, desligue as luzes e o seu "interruptor dos negócios". Não leve os negócios para casa. Mantenha a sua vida num equilíbrio saudável. Acenda e apague as luzes. Pessoas e lâmpadas têm uma durabilidade maior com esta prática.

Esta é uma resposta muito importante, que se tornou parte da filosofia de vida da nossa família. Foi escrita por uma senhora de 93 anos de idade, de Louisville, Kentucky, e publicada inicialmente num jornal local. Ninguém foi capaz de localizar a origem exata da autora ou da sua família. A história é que, no seu 93º. aniversário, Nadine foi abordada por uma repórter que lhe perguntou o que ela faria diferente se pudesse viver de novo.

"Se eu pudesse começar de novo, me atreveria a cometer mais erros. Eu relaxaria. Faria mais exercícios, seria mais tola. Eu levaria menos coisas a sério e iria aproveitar mais as chances. Teria viajado mais, escalado mais montanhas e nadado em muitos outros rios. Teria tomado mais sorvetes e comido menos feijão. Eu teria, talvez, mais problemas verdadeiros, mas menos imaginários.

Veja você, eu sou uma dessas pessoas que viveu sensata e sadiamente, hora após hora, dia após dia. Ah, eu tive meus momentos, mas se pudesse fazer de novo, eu teria mais deles. Na verdade, eu iria tentar não ter nada além deles — só momentos — um após o outro, em vez de viver os anos a frente.

Tenho sido uma dessas pessoas que nunca sai para qualquer lugar sem um termômetro, uma bolsa de água quente, uma capa de chuva e um pára-quedas. Se eu pudesse ter minha vida de volta, eu começaria a andar descalça na primavera e assim iria até o outono. Eu dançaria mais, me divertiria mais nos carrosséis, iria pegar mais margaridas."

–NADINE STAIR

COISAS QUE VOCÊ REALMENTE GOSTARIA DE TER SABIDO

Coisas Que Você Realmente Gostaria de Ter Sabido

Vinte e cinco anos atrás eu gostaria que alguém tivesse me contado sobre o fator exponencial do tempo: que depois dos quarenta, cada ano passa duas vezes mais rápido, e que depois dos cinqüenta, cada ano passa dez vezes mais rápido.

–Harold Evans
Editor, Random House

Ao morrer, você não leva consigo o dinheiro que economizou durante a vida, mas leva o dinheiro que doou.

Você não leva a comida que estocou, mas leva a que dividiu com os outros.

O que você deu para ajudar outros você leva. O que você manteve consigo fica para trás.

—REVERENDO DR. CHARLES L. HEUSER
ESCRITOR,
PILGRIMAGE IN FAITH

Como um jovem tigre, em 1954 eu abracei a "fórmula do sucesso" que se mantém válida e imutável hoje em dia: sempre dê 110% de esforço. Desenvolva as habilidades das pessoas. Permaneça estudando. Seja leal ao seu empregado. Mantenha um estrito comprometimento com os valores.

Ainda, em *hindsight,* eu não foquei quarenta anos atrás, no início da competição, as características pessoais intangíveis que parecem fazer a sutil diferença entre aqueles que usam todo o seu potencial e os que não o usam:

Julgamento — que implica não apenas tomar a decisão correta, mas também fazê-la no tempo certo.

Sensibilidade — para entender os outros todo o tempo. Eu aprendi que nem todos tem um *approach* tipo "trator", mas que se pode ser muito

Coisas Que Você Realmente Gostaria de Ter Sabido

mais eficaz sendo sensível aos outros e realmente se preocupando com suas necessidades.

Entusiasmo sobrenatural — para tudo que vá fazer. Se você quer ficar sozinho, se você quer ser ignorado, não se preocupe em sorrir.

Persistência — não existe qualquer tarefa que não garanta problemas e obstáculos. Somente aqueles que persistirem bravamente irão atingir suas metas. No discurso do 55º. aniversário de sua graduação na Groton, Wiston Churchil subiu no palanque e proferiu apenas três palavras, antes de sentar-se: PERSISTAM, PERSISTAM, PERSISTAM.

–Pen Tudor
Presidente do Comitê Executivo,
Adweek

Vinte e cinco anos atrás, eu gostaria que alguém tivesse me falado para, formalmente, eu pegar um papel e uma caneta e registrar a minha declaração de valores pessoais.

A minha declaração começa com a percepção que vivemos num mundo de abundância e não de escassez. O que existe é suficiente para todos nós — o ganho de uma pessoa não precisa ser a perda de outra. Daí, vem a minha visão pessoal: "amar ao outro". A sua visão pode ser muito diferente. O importante é que a minha declaração deixa claro *qual é a próxima coisa certa a ser feita.* Ela realmente influencia as minhas decisões diárias. Assim deveria ser a sua declaração.

—Barbara Bools
Presidente, Bools & Associates

Eu gostaria que alguém tivesse me contado que tudo daria certo.

Eu me preocupei quase até a loucura com dinheiro, com ser demitida, com ter sucesso. Eu tinha uma irmã inválida para sustentar e as decorrências eram pesadas. Eu gostaria que alguém tivesse dito: "Kiddo, se você trabalhar muito, muito duro, e apenas deixar o emprego se for demitida — o que algumas vezes aconteceu — e aproveitar qualquer coisa que as pessoas lhe peçam para fazer, você vai se dar bem".

Eu fiz mais ou menos isto por instinto, mas, se houvesse alguém me motivando, não iria doer. Nós estamos falando de cinqüenta anos atrás. Vinte e cinco anos atrás, *Cosmo* estava com uma performance excelente e eu não precisava mais de alguém me dando este suporte. Não poderia ser mais duro agora do que foi para o pessoal do pós-Depressão em 1940: noventa candidatos para cada emprego.

Mas se você não pensa alto — cabeça nas nuvens e sonhos ambiciosos — e apenas faz, conscientemente, o trabalho chato à sua frente, essa postura somente o manterá na situação atual, nesta ou mesmo em outra empresa.

Tenha o hábito de ser profissional. Metade do sucesso é pensar que o que você está fazendo agora é o melhor que qualquer um já pôde fazer, mesmo que seja a atualização de uma agenda. A autodisciplina o levará para onde quiser *(ela disse com devoção!)*.

–HELEN GURLEY BROWN
EDITORA CHEFE,
COSMOPOLITAN

Mantenha contato com os amigos. Não deixe que as relações se percam.

Você nunca sabe quando outras pessoas podem ajudá-lo, ou apenas estar presente. Olhando para trás, eu me arrependo de não ter mantido contato com as pessoas conhecidas nos meus vinte e poucos anos. Vivemos coisas difíceis juntos. Depois, li sobre eles na imprensa, mas já não os conhecia mais, muito tempo já se havia passado. Já não dava mais para ligar e dizer: "Olá, eu sou o Dave".

Alguém, uma vez, disse: "Um bom amigo é como um bom cachorro — com ambos é preciso dar uma volta e exercitar-se regularmente."

–Dave King
Diretor de Marketing,
Blue Shield of California

Siga o que você gosta de fazer. Caso contrário, no futuro, você recuará para, de alguma forma, reclamar disto.

Os meus pais foram moldados pela Depressão. As prioridades eram extremamente centradas na segurança, não na paixão de ter sonhos. Eu fui incentivado a me tornar um professor porque isto dava segurança. Agora, quando olho para trás, vejo que as coisas das quais eu gostava referiam-se a *design* e horticultura, embora até os 35 anos não estivesse seguro quanto a seguir essas carreiras. Não cometa o mesmo erro.

Faça aquilo que gosta, mesmo que não tenha aquela grande perspectiva de ganhar dinheiro ou o prestígio de algumas profissões. Se você se envolve com o que não gosta, vai achá-lo vazio e viver de "Eu gostaria de ter tido...".

Mas se você faz o que gosta, durante toda a sua vida você não será capaz de tirar tudo da sua atividade. Finalmente, incentive os seus filhos a se autodescobrirem. Veja-os através dos talentos deles e não dos seus desejos.

—Jacqueline Ignon
Arquiteta Paisagista

Coisas Que Você Realmente Gostaria de Ter Sabido

O poder é sempre ensaiado atrás dos bastidores. Alguns o usam. Outros abusam. Muitas mulheres tendem a fugir dele. Não faça isto. O poder com benevolência e sem machismo é a arte da liderança.

—Jean Craig
Fundadora,
Kresse/Craig Advertising

Coisas Que Você Realmente Gostaria de ter Sabido

Vinte e cinco anos atrás eu gostaria que alguém tivesse me falado para encontrar um meio-termo entre a conservadora aversão ao risco pregada pelas grandes corporações americanas e a grande capacidade de conviver com o risco praticada pelos mais arrojados empreendedores.

À medida que olho para trás na minha carreira, eu não me arrependo de erros, mas me arrependo de oportunidades perdidas — a oportunidade de fazer um negócio crescer mais rápido que o suporte financeiro do momento; algumas boas idéias natimortas, por causa de riscos não assumidos; e a relutância de expor a minha reputação e capital pessoal em idéias que tinham uma razoável promessa de desabrochar.

–Richard H. Burke
Presidente, Burke, Fox & Company

Eu gostaria que alguém tivesse me dito, quando terminei a faculdade de direito, que tudo se resumia à prática e que eu precisava urgentemente encontrar alguém que me permitisse praticar.

–MORT JANKLOW
CHAIRMAN,
JANKLOW & NESBIT ASSOCIATES

Em hospitais, as enfermeiras de pronto-socorro têm um ditado: "Assista, faça, ensine". Isto se refere à necessidade de urgência na profissão: aprender rápido e também rapidamente colocar o ensinamento em prática num paciente de verdade e ensinar os procedimentos para alguém mais. Note que aprender é apenas o primeiro terço do trabalho. O principal é pôr em prática o que se aprendeu.

Isto se aplica para qualquer profissão ou negócio. Você não pode apenas ler como se troca um pneu, se anda de bicicleta, se escreve um contrato, se começa um negócio, ou se realiza um cirurgia do coração. Você precisa praticar para aperfeiçoar suas qualidades.

Eu recupero empresas com grandes problemas ou em concordata.

Não importa o segmento de negócio delas. Descobri que os mesmos cinco procedimentos se aplicam a todos os casos. Gostaria que alguém tivesse me falado sobre isto 25 anos atrás. Assim, eu não precisaria tê-lo assimilado do modo mais duro. Aqui vão os procedimentos:

1º. Passo: agarre o dinheiro. Muitas empresas com problemas são hemorrágicas. Acabe com os *vendors*. Venda ativos. Interrompa os pagamentos. Faça o que for preciso para segurar os ativos líquidos. Não delegue esta função até que esteja sob controle. Até que faça isto, você não controla a situação.

2º. Passo: congele os gastos. Não se preocupe com as vendas por enquanto.

Apenas trancafie as despesas. Corte tudo o que você pode, incluindo os salários dos executivos.

Deixe-os sentir a crise e se envolver com as soluções.

3º. Passo: converse com todo mundo que você puder. Toda a informação sobre o que está errado e o que deve ser feito já está em casa.

4º. Passo: formule uma estratégia diretiva. Você estará melhor se tiver uma estratégia "meio-certa" agora, do que uma perfeita em seis meses. Até lá será muito tarde.

5º. Passo: monte o organograma "ideal", que reflita o *staff* mínimo necessário para implementar a estratégia. Quando fizer isto, não se imponha condições. Ignore as pessoas que trabalham para a empresa agora.

Depois que tiver o organograma ideal, avalie se as pessoas disponíveis se encaixam em alguma posição. Muitos gerentes pegam o *staff* atual e tentam encontrar nele uma posição para si. Isto é um desastre. Faça o *layout* da organização primeiro. Se as pessoas não se encaixam, dispense-as. Parece frio, mas executivos são pagos para executar.

É isto. Funciona sempre.

–Alfred Jay Moran, Jr.
CEO,
Gérant Companie, Inc.

Encontre um advogado e construa uma boa relação com ele bem cedo, antes que você precise de um. Algum dia, de repente, você vai precisar e não vai ter tempo de procurar. Eu garanto.

—Anônimo

Coisas Que Você Realmente Gostaria de Ter Sabido

COISAS QUE VOCÊ AGRADECERÁ POR SABER

Coisas Que Você Agradecerá por Saber

Na verdade, eu agradeço por não ter sabido 25 anos atrás o que sei agora. Se eu soubesse, teria me preocupado em questionar se eu iria encontrar um emprego, se iria ter sucesso e uma carreira satisfatória. Mas quando saí da faculdade, nenhuma dessas coisas pareciam importantes. Fui apenas dando um passo de cada vez e movendo-me para frente. Das mulheres não era esperada uma ascensão ao topo de qualquer negócio, e por isso não tive o estresse de ter todos pensando no meu futuro.

Eu queria ser capaz de fazer algo que amasse, acordar de manhã e estar ansiosa para ir ao trabalho (como o meu pai fazia), e ter uma carreira que me desse tempo de curtir meus filhos.

Não posso dizer que planejei a minha rota ascendente. As coisas simplesmente aconteceram. Olhando para trás, eu sou grata por não ter ouvido a expressão "plano de carreira" quando tinha 22 anos. Os jovens de hoje se estressam, pressionam muito a si mesmos, e esquecem que se trabalharem duro, fazendo o seu melhor, ficando fora dos jogos políticos e curtindo suas vidas, não precisam de plano rígido para o sucesso.

–Ellen Levine
Editora Chefe,
Good Housekeeping

Ria de si mesmo e aprecie a sua empresa.

Crie a sua própria vida. Não deixe que os outros a determinem. O que quer que faça, faça pelas suas razões — porque se encaixa nos seus planos e lhe dá prazer. Afaste-se de pessoas e coisas que o levam para baixo.

Lembre-se: você é o motorista. Fique no acento do motorista porque assim você pode parar, voltar, acelerar, ou virar. Mantenha a sua independência de pensamentos. Curta a sua imaginação e sonhos. Perdoe-se. Reserve um tempo para as pessoas, especialmente para aquelas que você ama. Goste de aprender e seja partidário da mudança. A vida é um presente surpreendente e maravilhoso. Admire o passeio.

–Steve Robbins
Presidente, Robbins Bros.,
The Engagement Ring Store

Thom Miller "atingiu o alvo" com essa resposta. Depois de anos ele concluiu que estava cansado de gravatas, *sweaters*, e de ser desejado por pessoas que não se preocupavam com o seu título, salário ou escola em que havia se graduado.

As pessoas beges, que se adaptam e não contestam nada, dificilmente são a primeira escolha de alguém. Não tenha medo de se opor e ser controverso. Você pode fazer uns poucos inimigos, mas melhores amigos. Encaixe-se, mas não se venda.

Tenha cuidado com a síndrome das pessoas beges.

–THOM MILLER
EX-PRESIDENTE,
KETCHUM ADVERTISING, NEW YORK

"Não conte com os ovos dentro da galinha." Negocie apenas com as coisas reais.

De cada extra — bônus, comissão, venda de algum bem etc. — separe 75% e coloque-os num investimento de baixo ou nenhum risco e use apenas os juros. Daí, entenda e monitore de perto o seu fluxo de caixa.

Se "é bom demais para ser verdade", tenha cuidado e redobre a atenção. Entenda que qualquer bom investimento ou empreendimento pode ser o resultado de sorte ou esperteza — e que é difícil "reproduzir" a sorte.

No meu caso, pensei que tivesse um portifólio imobiliário grande e bem balanceado, mas a recessão acabou com 40% do seu valor, do que era a maior parte do meu patrimônio.

–Bill Lennartz
Presidente e *CEO*,
Sciteq Electronics, Inc.

Se um cliente liga, e eu considero isto uma interrupção, eu sei que preciso me afastar um pouco para adequar as minhas atitudes.

–Don Keough
Presidente e *COO* aposentado,
The Coca-Cola Company

Pense sobre as necessidades de seus clientes ao invés das suas, e o seu negócio caminhará tranqüilo. Entenda como os seus clientes ganham dinheiro, ajude-os a ganhar mais, e o seu lucro tomará conta de si mesmo. Clientes ou consumidores são a razão do sucesso, não uma interrupção do seu dia.

"O discípulo vai até a montanha e pergunta ao mestre:

— De onde vem a sabedoria?

— Bom julgamento.

— De onde vem o bom julgamento?

— Experiência.

— De onde vem a experiência?

— Mal julgamento."

–Utilizando-se de uma velha história:
Dr. Pierre Mornell
Psiquiatra e Escritor

Pierre acrescenta uma nota à sua *hindsight*.: "Tome cuidado com pessoas de 65 anos, como eu, dando conselhos sobre de onde a sabedoria vem. Você é o *expert* da sua própria experiência... então, acredite em você".

Eu gostaria que alguém tivesse me contado que o casamento não é uma relação 50/50. Não seja um anotador de placar.

Eu estou casada há 35 felizes anos, e em todo esse tempo é difícil me lembrar de quando meu marido e eu contribuímos com 50 por cento. As necessidades não são constantes. Em alguns anos você se vê dando 90 por cento ou mesmo 100 por cento para o relacionamento; mas reconheça que, com certeza, haverá um período no qual você terá mais para receber do que dar. E aí o seu companheiro estará lá por você.

O casamento é amor, compartilhamento e convivência a dois. Dê todo seu amor. Não se preocupe com "o que ele tem para te dar", ou com "o que ele me deve". Não fique contabilizando. Você nunca irá se arrepender.

–Debbie Conlon
Fundadora, Interiors By Design

Ao imaginar o que eu gostaria que tivessem me contado anos atrás, pensei em alguns dos princípios que me têm guiado aqui na Mattel, desde que assumi em 1987.

1. A lucratividade é a nossa prioridade número um. A principal razão para trabalharmos "duro, e até mais tarde" é aumentar a riqueza dos acionistas. As pessoas costumam dizer que trabalham para pagar contas, colocar comida em casa ou o que seja. Estes itens são importantes, mas a razão principal é que estamos trabalhando para aumentar a lucratividade dos acionistas.

2. As pessoas fazem a diferença. Se você tem pessoas excelentes trabalhando para você, o seu trabalho será bastante facilitado. Recrute pessoas inteligentes, dedicadas, criativas, e os negócios irão responder... se você deixar essas pessoas fazerem a parte delas.

O foco de John na lucratividade pode ser mal compreendido e visto como falta de sensibilidade: uma ênfase no lucro em detrimento das pessoas. Mas o oposto também é verdade. A lucratividade é o objetivo número um porque ela viabiliza todas as outras coisas.

Em 1987, John Amerman assumiu uma empresa que estava próxima da bancarrota e construiu uma das maiores histórias de reversão de quadro dos Estados Unidos. Em poucos anos o valor das ações triplicou, e em 1995 a Mattel se transformou na maior e mais lucrativa empresa de brinquedos do mundo. Em decorrência do foco na lucratividade em primeiro plano, John foi capaz de atingir os seus outros objetivos: contratar pessoas excelentes, envolver-se nos projetos da comunidade, e se divertir.

Coisas Que Você Agradecerá por Saber

3. Envolva-se nos projetos da comunidade. Nada é mais recompensador que transpassar as fronteiras da empresa em algumas realizações. Eu não acredito que a maior parte dos jovens homens de negócios entenda este requisito.

4. Divirta-se. Pense sobre isto. Você vai cedo para o trabalho, e só volta para casa tarde da noite. Se você não se diverte um pouco nos negócios, terá uma existência muito monótona. A diversão é um dos princípios mais importantes para manter uma empresa em crescimento.

–John Amerman
Chairman e *CEO*,
Mattel Toys

Curso Rápido de Relações Humanas

1. As cinco palavras mais importantes na língua portuguesa:

"Eu me orgulho de você".

2. As quatro palavras mais importantes:

"Qual é sua opinião?".

3. As três palavras mais importantes:

"Tenha a bondade".

4. As duas palavras mais importantes:

"Muito obrigado".

5. A palavra menos importante:

"Eu".

–Robert W. Woodruff
Chairman aposentado,
The Coca-Cola Company

Coisas Que Você Agradecerá por Saber

Escute aquela pequena voz que vem de dentro de você.

Se você não vive a sua vida completamente, realizando as metas que julgou importantes, dando sua contribuição única para o mundo, ninguém mais irá fazê-lo. Sua canção morrerá com você.

Muitos de nós já descobriram o que fazer com suas vidas. Nós temos um propósito que ecoa do centro do nosso ser. De algum modo, nossas vidas nunca estarão completas a menos que respondamos a este chamado. Mas nos recusamos... "Aquela vozinha" sussurra um sonho... Mas, mais tarde, mais dia menos dia, nossa visão começará a desaparecer... imersa na praticidade. Nossos sonhos e aspirações parecem incertos, e talvez um pouco fúteis.

Nós nos arrastamos pelos mais altos caminhos do conformismo, seguindo os outros. Buscamos o que os outros buscam — conforto, segurança, dinheiro, poder, prazer. Não estamos sozinhos, mas somos estranhos para o melhor de nós mesmos. Os anos deixam rugas na pele, mas a perda de entusiasmo deixa rugas na alma.

É impossível dizer a alguém que caminho seguir. Somente você, com tranqüilidade e humildade, pode ouvir a pequena voz dentro de você. Sucesso e felicidade não são metas distantes de serem capturadas e mantidas. Acontecem acidentalmente enquanto você está se realizando.

–Michael Lynberg Escritor,
The Gift of Giving

Nunca entre numa reunião sem saber a que horas ela vai acabar. Das milhares de horas que todos nós gastamos em reuniões de negócios, poucas são tão produtivas quanto poderiam ser. Durante a sua carreira, as reuniões podem significar anos.

Um modo eficaz de disciplinar este ritual tomador de tempo é definir antecipadamente, além do horário de início, também o de término das reuniões que você conduz ou participa. Se você irá conduzir a reunião, esta prática imediatamente sinalizará para os seus colegas que você preza muito o tempos deles. Se você estiver comparecendo a uma reunião para a qual foi convocado, sinalizará a eles que o seu tempo precisa ser respeitado.

Duas deduções resultantes: primeira, tenha sempre uma agenda para a reunião, não importando se é uma reunião pequena ou não, importante ou não.

Siga sempre a agenda. Segunda — e esta é a minha favorita — toda reunião que dura mais que vinte minutos não está acrescentando algo importante como resultado principal.

—Peter Brown
Diretor de Criação,
Anita Santiago Advertising

Coisas Que Você Agradecerá por Saber

Este era um brilhante comercial para prevenção do alcoolismo feito por Jim e sua equipe no final dos anos 80, na Doyle Dane Bernbach.

Neste comercial há um elefante na casa mas todos da família o ignoram. As crianças brincam em volta da tromba, a mãe passa o aspirador ao redor da perna, e tudo o mais. A idéia é que o alcoolismo na família é como o elefante na sala — todo mundo sabe que ele está lá, mas todos fingem que não existe.

Eu gostei tanto da idéia que algumas vezes eu mesmo a uso. Descobri que em muitas reuniões existem "elefantes na sala", problemas importantes que permanecem intocados porque as pessoas se sentem mais confortáveis fingindo que eles não existem Eu abria reuniões com uma pergunta simples: "*Okay*, antes de começarmos, existem

Fique atento ao elefante na sala.

–Jim Hallowes
Presidente,
Hallowes Productions

alguns elefantes nesta sala?" Algumas vezes eu nomeava os elefantes: "Sue e Dave estão tendo problemas em definir quem fica com a sala do canto, mas eu quero colocar tudo na mesa para que depois isto não se transforme num elefante".

O ponto é simplesmente identificar problemas que estão escondidos e neutralizá-los sempre que possível. O reconhecimento de um problema em público já é um grande passo para sua solução.

Sucesso é acordar de manhã — não importa quem você seja, onde você esteja, se é velho ou se é jovem — e sair da cama porque existem coisas importantes que você adora fazer, nas quais você acredita, e em que você é bom. Algo que é maior que você, que você quase não agüenta esperar para fazer hoje.

–Whit Hobbs
Jornalista

Não "fale" às pessoas como num monólogo. Pergunte o que elas pensam e escute as respostas. Um processo de comunicação construtivo faz com que o receptor se sinta valorizado. Além do mais, todos tendemos a apoiar e abraçar o que ajudamos a criar.

Vinte e cinco anos atrás algumas pessoas maravilhosas ajudaram-me com este conselho. Elas me incluíram, me valorizaram, me incentivaram, me apoiaram. Eu era um participante ativo do meu próprio processo de aprendizado, e não o receptor de um processo "predefinido."

Benjamin Franklin resumiu isto quando disse: "Se você me coloca sua opinião de uma maneira dogmática, diretamente oposta ao meu modo de pensar, e não deixa espaço para negociação, eu sou obrigado a concluir

Coisas Que Você Agradecerá por Saber

— para proteger a mim e a minha auto-estima — que você está errado, e imediatamente vou me empenhar em provar que você está errado. Por outro lado, se você coloca a sua opinião como uma hipótese, evidenciando boa vontade para discuti-la e explorá-la, na maioria da vezes eu vou me empenhar em comprovar que você está certo".

–James M. Edler
Gerente de Mudança Organizacional,
Aircraft Engine Division, General Electric Company

Comemore publicamente. Chore sozinho. Alguns anos atrás eu teria gostado que alguém tivesse me contado que não existe algo melhor que "em segredo". É uma excelente prática não mostrar fraqueza perante os outros. Não deixe um emprego para procurar por outro. Não exponha para pessoas seus sentimentos de dúvida ou de dor — elas realmente não querem ouvi-lo. A expressão mais popular para isto é algo próximo de "nunca deixe outros perceberem que você transpira".

Ninguém lamenta por você mais que uma hora, mas depois ninguém nunca mais esquecerá o seu momento de vulnerabilidade. O problema de baixar a guarda é que quando as coisas ficam bem novamente e você encontra a pessoa, ela lhe lembra o "ocorrido".

Também não existe algo como "confiança irrestrita" entre amigos casuais e com a imprensa. No jornalismo, a expressão "preservar a fonte" quer dizer que a imprensa usará tudo o que você disse, menos o seu nome.

Finalmente, tome muito cuidado com aqueles que se aproximam de você com a frase: "Eu não deveria te contar isto, mas eu acho que você precisa saber". Se esta pessoa lhe conta segredos de outros, por que não contaria os seus segredos para os outros?

–Craig Campbell
CEO, Evans Group, Los Angeles

Homens e mulheres são diferentes. Mesmo que ame sua esposa, todo homem precisa de um grande amigo.

–Ross Huntley
Filósofo e Dentista

Coisas Que Você Agradecerá por Saber

Eu fiz várias apresentações de prospecção de novos clientes para muitas empresas *blue-chips*. E vi estratégias desse tipo feitas pelas maiores agências do mundo. Mas nenhuma superou o que assisti numa pequena loja em Kansas.

No começo da reunião o diretor da agência pegou, debaixo da mesa, e colocou em cima dela, bem no meio, um par de botas cheias de lama e disse: "Como vocês vêem, esta é a nossa filosofia de negócio aqui na agência. Se vocês nos contratarem, vamos enfiar nossas botas na lama. Nós vamos campo adentro com vocês. Nos envolveremos tanto no seu negócio, quanto vocês estão. E vamos entender o seu problema de verdade, antes de tentar criar soluções de propaganda para vocês".

Use botas para lama.

—FILOSOFIA PARA NOVOS NEGÓCIOS
KANSAS AGRICULTURAL ADVERTISING AGENCY

Eu gostaria que alguém me tivesse dito que uma das regras para o sucesso é: melhor quebrar as regras que segui-las.

Se, na casa dos vinte, eu tivesse, ocasionalmente, quebrado regras, teria sido recompensada. Por exemplo, quando me era pedido para escrever sobre "minhas metas para o futuro", eu poderia ter decidido que chamaria mais atenção se escrevesse sobre "porque eu não tenho metas". Eu teria me dado bem.

Infelizmente, quando ia me comportar assim, eu caía na real e me comportava conforme as regras. Eventualmente, sentia-me desconfortável.

Hoje eu sei que a melhor maneira de apresentar idéias novas e projetos

Coisas Que Você Agradecerá por Saber

criativos é ser consistente, determinado, imaginativo — e não fazer o que "eles" me falaram para fazer.

—KATE WHITE
EDITORA CHEFE,
REVISTA *REDBOOK*.
ESCRITORA,
WHY GOOD GIRLS DON'T GET AHEAD...BUT GUTSY GIRLS DO.

COISAS APRENDIDAS PELO CAMINHO DAS PEDRAS

Coisas Aprendidas Pelo Caminho das Pedras

Algumas vezes você se encontra numa "fria, sem uma boa opção". Esta é a hora de dar o fora para não piorar.

—Jim Lindsey
Ex-presidente,
Pepsi-Cola Bottling, San Diego e
San Bernardino

Eu estava num investimento com Jim e outros quando ele nos deu este conselho. Nós estávamos realmente "numa fria" e sequer "existia opção". E todos saltamos fora, ninguém insistiu. Hoje, considero o custo daquele investimento como o preço do aprendizado, e talvez um aprendizado dos mais baratos.

Vinte e cinco anos atrás eu gostaria que alguém tivesse me dito que as férias são tão importantes quanto qualquer outra coisa na corrida para o sucesso.

Não confunda um fim de semana emendado aqui, outro ali, com férias de verdade. Deixe tudo e vá com sua família para algum outro lugar. Vá para qualquer lugar, desde que longe do escritório.

É muito fácil acreditar que as coisas vão se destruir por você não estar lá, mas geralmente nada acontece. Também, aquelas coisas que você acha não poderem, de modo algum, esperar por você, podem.

Como um jovem empresário eu me sentia culpado. Nos primeiros sete anos depois que abri o meu negócio, não tirei férias. Então, depois de uma curta semana na praia, meu visual melhorou, meu entusiasmo foi lá para o topo, e eu estava totalmente novo, transpirando novas idéias.

E ainda, como bônus, renovei o apreço por minha família.

—LEE WELDON
EX-*CEO*,
KAL, HEALTHWAY CORP.

Diga "não" quando você quer dizer "não". Este pode ser o maior economizador de tempo da sua vida.

–LINDA LORE
PRESIDENTE,
GIORGIO BEVERLY HILLS

Experimente dizer "não" mais vezes. Encare isto como um presente para você mesmo. A maioria das pessoas irá respeitar a sua decisão e não o pressionará. Pode parecer terrível de início, porque você aprendeu a dizer "sim" por educação. Mas dizer "não" é honesto e objetivo, e acaba economizando o tempo de todo mundo. A alternativa é dizer "sim" e depois ficar sofrendo mais e mais à medida da aproximação da data, tentando encontrar uma maneira de cancelar o compromisso. Eu tenho certeza que você já passou por isso.

Olhando para o passado, eu tenho três *hindsights* a transmitir.

1. A maioria dos empreendimentos demora duas vezes o tempo previsto, custa duas vezes mais, e é duas vezes mais difícil do que a mais conservadora das suas estimativas. E o retorno é geralmente a metade do que você esperava. Se ainda lhe parece razoável, vá em frente.

2. Não é uma boa idéia ter pessoas *seniores* respondendo para você, e também membros do *Board*. É muito fácil surgirem conflitos quando você revê as posições deles, e eles, as suas.

3. Existem muito poucos casos de divórcio amigável. É muito duro para os filhos, e a sua esposa terá mais de você do que possa imaginar algum dia. Lembre-se: a pior reconciliação é melhor que o melhor divórcio. Acredite em mim neste ponto.

–Mark Hebner
Presidente,
Guardian X-Ray

O conselho de Bill cobre tanto a remuneração quanto o risco. Tendo alguém para negociar o seu salário, você se livra daquela situação terrível de ter que agradar o seu chefe e "lutar pelos seus direitos" — uma situação impossível.

Um intermediário produz uma camada protetora, pode ser muito mais duro e até conseguir dobrar o pacote final.

Em termos de assumir riscos, a coragem de pôr o pescoço para fora é característica importante de um líder. Se você não está expandindo, você não está crescendo. E quando você expande, você corre riscos, algumas vezes é demitido, falha absurdamente, ou o que seja. Eu sempre gostei de um anúncio da United Technologies Corporation veiculado alguns anos atrás no *The Wall Street Journal*. Ele está reproduzido aqui com permissão da empresa:

1. Sempre tenha alguém negociando o seu salário por você. A não ser que esteja "quebrado", você não vai pedir o bastante.

2. Esteja pronto para falhar no mínimo 30 por cento do seu tempo.

–BILL LUPIEN
CEO,
MITCHUM, JONES & TEMPLETON, INC.

Não Tenha Medo de Falhar

Você já falhou
tantas vezes,
embora possa até não
se lembrar.
Você caiu
na primeira vez
em que tentou andar.
Você quase se afogou
na primeira vez
em que tentou
nadar, lembra-se?
Você acertou a bola
na primeira vez
em que segurou um taco?
Os melhores batedores,
aqueles que acertam
a maioria dos home runs,*
também erram
bastante.
R.H. Macy
falhou sete
vezes antes que

sua loja de Nova York
fosse um sucesso.
O novelista inglês
John Creasey recebeu
753 rejeições
antes que tivesse publicado
564 livros.
*Babe Ruth struck out**
1.330 vezes
mas ele também fez
714 home runs.*
Não se preocupe com o
fracasso.
Preocupe-se com
as chances que você perde
quando nem mesmo
tenta.

—© United Technologies Corporation, 1981

---

* N.T. - *Struck out* é quando um jogador é desclassificado por tentar e não conseguir acertar a bola três vezes. Já um *home run* é a melhor rebatida possível, a que vai mais longe e permite ao jogador correr por todas as bases.

Eu gostaria que alguém tivesse me contado sobre DOP — dinheiro de outras pessoas. Ou, em termos mais financeiros, "equidade financeira." O que eu quero dizer é: tenha um bom e claro entendimento do aumento de capital para fazer um negócio crescer.

–Ed Justice
Presidente,
Justice Brothers, Inc.

Coisas Aprendidas Pelo Caminho das Pedras

Sempre tenha o melhor conselho legal e contábil! Se você tiver que pagar mais, não se preocupe, vai valer a pena. Diante de situações complexas, nunca fique atrelado aos seus "velhos" contadores e advogados.

Vinte e cinco anos atrás, durante uma negociação de fusão, usamos o mesmo "velho" advogado e o mesmo "velho" contador que tinham crescido no negócio. Eles simplesmente não tinham a capacidade necessária para conduzir a fusão. Quando acabamos a negociação pensávamos que tínhamos completado a fusão mas, tempos depois, descobrimos que tínhamos sido vendidos.

Foi um desastre para nossa família e eu nunca esqueci aquele erro.

—Anônimo

Quando eu tinha dezenove anos pensava que era imortal. Pensava que viveria para sempre. Um terrível acidente trouxe uma nova perspectiva para minha vida e o meu modo de viver desde então.

Eu percebi que a morte é algo muito ligado à vida, e que os dois únicos fatos verdadeiros na vida são que você nasce um dia e vai morrer em algum outro dia. O que acontece entre essas duas datas depende do seu modo de vida.

Tendo visto a morte de tão perto, apenas uma coisa me levou à frente: o amor pela minha família. Em situações extremas, o corpo e a mente ficam exaustos e acabados. Eu acredito que fui capaz de sobreviver 72 dias numa geleira nos Andes porque ficava pensando que precisava voltar para o meu pai e minha irmã.

A corajosa história de sobrevivência de Fernando Parrado é contada no livro e no filme *Alive*.

A minha mãe e minha irmã mais nova morreram no acidente do avião. Nenhum treinamento ou estamina poderiam salvar-me. A única força foi pensar na minha família. Isto me deu energia e a chance de viver de novo.

Todos os dias tento dar para minha família todo o amor que posso. Nada é mais importante na vida. Todos tomamos consciência, quando iniciamos nossa viagem final, de que as coisas valiosas da vida não são as materiais, mas sim os sentimentos. Então tente apreciar as coisas simples. Pois serão delas que você sentirá falta numa situação de risco de sobrevivência.

–Fernando Parrado
Presidente,
M.R.C. Ltd, Montevidéu, Uruguai

Vinte e cinco anos atrás, eu gostaria que alguém tivesse me dito estas três coisas:

1. Conecte-se ao mundo externo. Vá a todos os eventos, conferências ou festas, não importando quão cansado esteja. Os contatos que você faz quando menos espera podem impactar toda a sua carreira... ou talvez o lado sentimental.

2. Pague o seu cartão de crédito todo mês — pelo menos o valor mínimo — não importa quanto. Não deixe o mês passar sem pagar alguma coisa, ou isto irá se tornar uma bola de neve e o colocará em apuros.

3. Considere que o "telhado de vidro" pode ser, em parte, sua culpa. Como presidente da empresa líder no segmento de seleção de executivos, especializada em mulheres e minorias, eu vejo candidatos que precisam de uma conversa simples e sem rodeios a respeito

Coisas Aprendidas Pelo Caminho das Pedras

da aparência profissional nos negócios. A solução para homens e mulheres, em alguns casos, está num terno de melhor corte, na camisa ou blusa, na gravata certa, nos sapatos bem-engraxados. Quando em busca de uma posição executiva, o candidato, para ter sucesso, precisa parecer pertencer ao grupo.

—Betsy Berkhemer-Credaire
Presidente e fundadora,
Diversity Search Partners, Inc.

Pense no dinheiro da sua aposentadoria agora.

Hoje, muitos de nós, na casa dos cinqüenta ou sessenta, estamos loucos. Nós fomos criados para acreditar que existia um pacto de longo termo entre nosso empregador e nós mesmos.

Quando saímos da faculdade existiam muitos empregos. As empresas falavam sobre programas de treinamento, avanços na carreira e até mesmo sobre planos de aposentadoria. Imagine alguém falando para um jovem de vinte e poucos anos sobre plano de aposentadoria.

Hoje não existem mais promessas. "Empregos para toda a vida" é uma coisa que os nossos pais e avós tiveram. Não conte com isto.

Então, garanta agora o dinheiro do seu futuro. Toda vez que tiver a oportunidade de receber bônus, peça à sua empresa para comprar algum plano de recebimentos futuro, tipo plano de pensão privado. Quando você compra aos vinte ou trinta, eles são muito baratos, em razão da sua grande expectativa de vida. Então, aos trinta anos, por vinte ou trinta mil dólares, você pode garantir milhões para o futuro, quando se aposentar.

É muito difícil para os mais jovens pensar trinta anos na frente. Mas se você fizer um esforço e economizar agora, você terá a coisa mais maravilhosa mais tarde: a independência e a paz por saber que a sua aposentadoria está garantida — mesmo que o seu empregador apronte alguma quando você menos espera.

—Anônimo

Vinte e cinco anos atrás eu gostaria que alguém tivesse me dito para fazer da primeira perda a última. Isto significa não tentar salvar uma decisão errada, tentando contornar ou defendê-la. Encare os problemas e os repare, ou então dê o fora.

Nos meus tempos de Chrysler, os gerentes aconselhavam-me a não me desvencilhar das situações e nem me esconder. E quando a empresa se encontrava com graves problemas financeiros, eu não podia jogar aquele jogo, e rapidamente aprendi que ganhava o respeito de meus superiores quando eu ia direto ao ponto, geralmente com uma recomendação de eliminar um projeto. Naturalmente, também é uma boa idéia aparecer com uma outra solução alternativa.

—Joseph Cronin
Presidente e *CEO*,
Saatchi & Saatchi, DFS / Pacific

Se pudesse voltar atrás no tempo, eu iria gastar menos horas trabalhando e mais tempo com os meus filhos. Eles cresceram sem um contato constante comigo e daí se mudaram. E também, nunca deixei minha mulher saber o que fazia para viver; agora arrependo-me de não ter dividido este lado com ela. Agindo dessa forma, quando você se aposentar e quiser o apoio da sua mulher será muito tarde.

Eu também gostaria que alguém tivesse me aconselhado a fazer dois ou três amigos íntimos, passado um bom tempo com eles. Os que eu tinha estavam longe. Eu deveria tê-los visitado e lhes contado como me sentia, em vez de só encontrá-los em enterros.

Você vai precisar de pessoas para repartir os seus problemas. Muitos dos meus foram mais fáceis de solucionar porque tive o apoio da minha mulher e de alguns bons amigos.

Então, minha *hindsight* é no sentido de que você ame o seu trabalho, mas que também ame a sua família e faça alguns amigos. Participe do crescimento dos seus filhos. Você pode não ter tanto sucesso no seu trabalho, mas será mais rico.

–Dr. Fred Kushner
Ex-diretor,
Illinois College Of Optometry

Todo negócio terá os seus melhores anos seguidos de outros, de "vacas magras." Prepare-se para eles.

Depois de um ou dois anos de sucesso, muitos empresários começam a acreditar que os bons tempos vão durar para sempre, e começam a gastar de acordo. Fazem *leasing* de um novo escritório, compram mobílias da moda e contratam mais empregados para cobrir os picos de trabalho. Daí, quando os tempos difíceis aparecem, os novos empregados se transformam numa arma apontada para as cabeças deles.

–Mike McCormick
Sócio,
LaRue, Corrigan & McCormick

Tenha sempre a maior integridade, mas também pense em você mesmo.

Estes dois conceitos podem ser sinérgicos. Quando recuperei a empresa, tive a opção de comprar todas as ações. Comprei apenas a metade. Eu me arrependo dessa decisão até hoje.

—Jeff Haines
Presidente e *CEO*,
Royce Medical

O sucesso é uma questão de se dar o valor exato para as coisas. Ou seja, escolher a direção certa para sua vida, sua empresa, seus investimentos, ou as companhias que você terá ao longo da viagem; a habilidade de acessar corretamente a realidade é essencial.

Nós todos ficamos cegos pelas nossas emoções, auto-imagem ou orgulho, e falhamos quando tratamos de ver as coisas como realmente são. Por ser uma pessoa muito individualista, eu sempre escolhi ter julgamentos independentes, e quase sempre incorretos.

Como *hindsight*, teria sido muito útil se alguém tivesse me ensinado o valor de uma "segunda opinião", de um amigo de confiança. Isto poderia ter-me ajudado a clarear meus julgamentos. Nada é mais importante do que a avaliação correta das próprias percepções.

–Bert Newman
CEO, The Newman Co., Inc

Muitos erros são cometidos quando a economia vai bem e a performance da sua empresa é boa. As pessoas tendem a relaxar quando as vendas e os lucros estão aumentando. Elas tendem a contratar gente demais e tomar decisões de investimentos sem um estudo tão profundo quanto o dos tempos difíceis. Muitas vezes tenho visto grandes empresas químicas se expandirem ao máximo com ciclo de negócios favorável, apenas para sofrer seriamente quando vem a recessão.

—Larry Tucker
Presidente,
KT-PC, Inc

Coisas Aprendidas Pelo Caminho das Pedras

Ninguém gosta de um engraçadinho.

Vinte anos atrás, quanto estava começando minha carreira como assistente de marketing, eu me sentava num cubículo com mais dois colegas. Constantemente eu divertia as pessoas ao meu lado com imitações de alguns colegas. As impressões não eram satisfatórias, mas como geravam boas risadas, eu persistia.

Alguns anos mais tarde, eu estava sendo entrevistado para uma posição numa empresa e meu futuro chefe achou que seria interessante eu conhecer o novo cliente que iria atender. No jantar, descobri que se tratava de alguém que eu já conhecia, e ele me confidenciou: "Você sabia que não fez muitos amigos com aquele seu comportamento..." Duas lições muito importantes deste episódio:

1. Eu tinha me esquecido do que havia feito. Eu poderia ter definitivamente esquecido, mas as pessoas que magoei nunca esqueceram.

2. Não vale, mas não vale mesmo a pena fazer os outros rirem à custa de alguém.

Eu tive sorte. O novo cliente e eu fizemos as pazes. Mas mantive-me consciente de como é fácil ter uma reputação manchada. E não faço mais nenhum tipo de gracinha.

–Bruce Miller
Presidente,
Suissa-Miller Advertising, Inc.

Diga o que você tem vontade de dizer quando você tem o *feeling* e a chance. Amanhã poderá ser muito tarde.

De todas as coisas que eu fiz, o meu maior arrependimento é das coisas que eu não fiz, das oportunidades perdidas e das coisas não ditas.

—Capitão Jim Keller
Piloto-chefe,
American Airlines, Aeroporto Internacional de Los Angeles

Jim Keller gerencia mais de mil pilotos para a American Airlines, na base de Los Angeles. Em 1991, ele perdeu o seu filho único, Chris, de quinze anos, que teve um ataque cardíaco. Desde então, ele tem-se lamentado sozinho, enquanto ajuda centenas de outros pais numa organização (The Compassionate Friends) que ele e sua mulher, Sandy, ajudaram a fundar. Eles dedicam os seus esforços à memória de Chris.

Anos atrás, eu gostaria que alguém tivesse me orientado a não deixar os meus hormônios tomarem conta da minha cabeça.

Eu gostaria que alguém tivesse me dito para não colocar todos os ovos da minha ambição numa mesma cesta chamada "casamento". Um homem vai aparecer para você... Esta é a parte mais fácil. O difícil é o mesmo que é difícil para todo mundo — se superar no campo que você escolheu.

Vinte e cinco anos atrás, as jovens mulheres recebiam esta mensagem: "A formação é importante mas não esperem realmente usá-la... exceto para dar, à sua família, um lar culturalmente mais estimulante". A realização profissional figurava como uma das últimas prioridades para as mulheres.

Enquanto muito desse pensamento já mudou, algumas coisas permanecem iguais. Eu conclamo as jovens mulheres a serem muito claras quanto a seus sonhos... a serem mais focadas e menos dispostas a um compromisso.

Eu as conclamo a colocar o amor e o casamento em perspectiva. Para a filha que eu nunca tive eu diria simplesmente: "Um bom desempenho no trabalho que você ama é o máximo que você pode querer".

Agora, depois de começar a receber minha aposentadoria, só posso desejar que as jovens mulheres não tenham as mesmas dúvidas.

–Lyn Teven
Escritora *Freelance*

COISAS QUE VOCÊ FATALMENTE

IRÁ DESCOBRIR, MESMO QUE NINGUÉM LHE CONTE, MAS POR QUE NÃO CONHECÊ-LAS AGORA, ECONOMIZANDO ANOS DE IRRITAÇÃO, APORRINHAÇÃO – SEM FALAR DOS PROBLEMAS COM "P" MAIÚSCULO.

Coisas Que Você Fatalmente Irá Descobrir, Mesmo Que Ninguém Lhe Conte, Mas Por Que Não Conhecê-las Agora, Economizando Anos de Irritação e Aporrinhação – Sem Falar dos Problemas com P" Maiúsculo.

Uma vida sem perigos geralmente leva a arrependimentos mais tarde.

A nós todos são dados talentos e sonhos. Algumas vezes, os dois não combinam. Mas antes desta certeza, comprometemos os dois.

Mais tarde, tão bem-sucedidos quanto possamos ser, nos encontramos olhando para um passado longínquo, para aquele tempo em que podíamos ter perseguido nossos sonhos e talentos *verdadeiros* e o valor que eles tinham.

Não se deixe pressionar pelo pensamento de que seus sonhos ou talentos não são prudentes. Eles não foram criados para serem prudentes. Eles foram criados para lhe dar satisfação e sentido para sua vida.

As pessoas que amam o que fazem são geralmente aquelas que estão fazendo o que amam.

–Peter Serchuk
Diretor Executivo de Criação,
McCann-Erickson, Los Angeles

Peter Serchuk é diretor de Criação e um líder de negócios durante o dia, além de talentoso poeta nas horas particulares *(Waiting for Poppa at the Smithtown Diner, Poems by Peter Serchuck)*. Toda manhã ele acorda às 5 horas e se concentra para escrever poesias. Daí, às 7h30 ele vai para o escritório e ajuda a gerenciar um negócio de 150 milhões de dólares. Este é um homem que certamente perseguiu seus sonhos e seus talentos.

Não tenha medo ou vergonha de acreditar em Deus, e de amadurecer espiritualmente.

–Bill Bean
Chairman, Strategia

Bill Bean dá palestras pelo mundo todo sobre a maximização da performance das empresas. Ele também aplica seu planejamento estratégico único para indivíduos num programa chamado "O Propósito da Vida". O programa identifica as dez categorias de vida que representam as dimensões de uma vida completa: pessoal, saúde, recreação, família, amigos, comunidade, carreira, finanças, moradia e espiritualidade. De uma maneira interessante, Bill representa estas categorias em um círculo como fatias da "torta da vida", mas coloca a "espiritualidade" no centro para demonstrar sua importância. Esses pedaços ou fatias parecem ter tamanhos diferentes relativos a cada pessoa nos seus diferentes estágios de vida. Mas todos são importantes.

Freqüentemente verifique se algum pedaço da sua torta está muito grande, e se um outro, em decorrência, está muito pequeno; talvez você deva procurar um equilíbrio entre eles.

Nós vivemos a vida olhando para a frente, mas a entendemos olhando para trás. Quando olhamos para trás, o que se destaca é que as coisas se resumem a pessoas. As pessoas *fazem* a diferença.

E o aspecto mais importante para uma pessoa ser capaz de fazer a diferença não vem da mente ou da motivação, mas sim da personalidade. E no coração da personalidade está um valor fora de moda, pouco valorizado e até esquecido: a confiança. Toda transação envolvendo pessoas baseia-se, explicita ou implicitamente, na confiança... ou na falta dela. Pelo menos, é assim que eu vejo as coisas. Certamente esta não é uma perspectiva nova. Mas quando eu olho para trás, sobre a minha própria vida, estas coisas me parecem mais importantes que nunca.

—Norman W. Brown
Ex-*chairman* & *CEO*,
Foote, Cone & Belding

A secretária do seu chefe pode ser uma das maiores amigas da sua carreira — ou uma das maiores inimigas.

Ninguém me falou sobre isto. Eu tive que descobrir por conta própria. Muitas pessoas com um *MBA* preocupam-se tanto com os seus pares e chefes que falham ao avaliar a real influência que uma boa secretária tem sobre seu chefe. Sendo amigo, gentil e educado, é meio caminho andado para se conquistar uma aliada importante.

Eu dei esta dica ao meu filho quando ele iniciou sua carreira, e ele contou-me depois que este havia sido o conselho mais valioso que recebera.

–JOE E. DAVIS
CONSULTOR DE INVESTIMENTO,
EMPREENDEDOR

Coisas Que Você Fatalmente Irá Descobrir, Mesmo Que Ninguém Lhe Conte, Mas Por Que Não Conhecê-las Agora, Economizando Anos de Irritação e Aporrinhação – Sem Falar dos Problemas com "P" Maiúsculo.

Em finanças, quanto menor a letra e mais barato o papel, mais importante é a informação.

—Regra dos investidores

Escutar é a habilidade mais difícil de se aprender, e a mais importante para se ter. No mundo da propaganda, aprender a ouvir — e realmente escutar — o que as pessoas estão dizendo pode fazer toda a diferença:

· o que os consumidores falam e o que eles realmente querem dizer,

· o que os seus clientes estão realmente querendo atingir, incluindo as metas escondidas,

· o que as pessoas pensam que é importante no trabalho delas, nas suas famílias e suas ambições pessoais.

Aprender a falar é relativamente fácil. Gaste duas vezes mais tempo aprendendo a ouvir do que aprendendo a falar.

–LYNN UPSHAW
COO (CHIEF OPERATING OFFICER),
KETCHUM ADVERTISING,
SAN FRANCISCO

Mesmo hoje, quando eu vou para uma reunião, escrevo um "O" grande no topo do meu bloco de anotações. É um lembrete para mim mesmo: "Ouça primeiro. Apenas cale-se e ouça". Algumas vezes eu vejo pessoas do outro lado da mesa tentado ler e entender aquele "O".

Insira algumas "gordurinhas" para mudanças inesperadas do seu *budget*.

Eu sei que você provavelmente já ouviu isto antes, mas é uma jogada comum. Quando consolidar as projeções para investimentos no mercado financeiro e em novos empreendimentos, não hesite em inflar os seus custos. Suas despesas legais e contábeis serão o dobro do que você antecipou. E faça as suas projeções de vendas de forma conservadora. O que você geralmente pensa que vai acontecer acaba não ocorrendo. Então, corte pelo menos mais 10 por cento.

Se você puder selecionar um homem chave quando assumir os negócios, que seja o seu *controller*. Eu pensei que poderia ir em frente com uma pessoa júnior nesta área, mas estava errado.

Finalmente, o seu ativo mais importante é o dinheiro propriamente dito. Você vai precisar mais do que você imagina. Falaram-me sobre isto e eu não acreditei.

–MICHAEL DRAKE
CEO,
MIDA INDUSTRIES, INC.

Coisas Que Você Fatalmente Irá Descobrir, Eventualmente Por Você Mesmo, Mas Por Que Não Escutá-las Agora, Economizando Anos de Irritação E Dor No Coração Para Dizer Sem Problemas Com Um "P" Maiúsculo.

Aqui estão algumas dicas resumidas para se escrever um bom memorando:

1. Para o resto de sua vida comece todo memorando com a palavra "Este". Isto lhe permite começar, e contar ao seu leitor logo na primeira sentença qual o objetivo do seu memorando.

2. Se o valor envolvido é abaixo de três milhões de dólares, monte-o apenas numa página. Isto forçará você e o seu leitor a focarem no que realmente é importante. Informações adicionais podem ser adicionadas quando da apresentação.

3. Existem sempre três razões para tudo. Nunca duas ou quatro. Se você tem duas, crie uma terceira. Se tem quatro, corte uma.

–PROCTER & GAMBLE COMPANY
DIRETRIZES NÃO-ESCRITAS E NÃO-OFICIAIS

Tenha experiência internacional.

—Peter Sealey
Ex-vice-presidente Senior,
Marketing Global, The Coca-Cola
Company

As pessoas nascidas antes de 1965 pertencem à última geração que pode atingir o topo de uma empresa tendo trabalhado somente nos Estados Unidos. Aqueles nascidos depois desta data têm que ter experiência internacional. Isto não quer dizer viagens. Quer dizer viver e trabalhar no exterior. Se, aos vinte ou início dos trinta anos, você tiver uma proposta de expatriação, não a perca, vá sem se preocupar com o aparente impacto na sua carreira doméstica. Os dividendos futuros serão muito grandes. Também fique fluente em duas línguas estrangeiras — uma da Europa ou América do Sul e uma da Ásia.

Trabalhar duro é muito importante, mas lembre-se de sentir o aroma das flores durante o dia. Sonhe, cantarole e mantenha sempre um senso de humor.

E use gravata borboleta. É mais fácil abaixar para sentir o aroma das flores.

–Morgan Chu
Sócio e Membro do Comitê Executivo,
Irell & Manella

Em 1994, o *National Law Journal* elegeu Morgan Chu como um dos 100 mais influentes advogados dos Estados Unidos.

Vinte e cinco anos atrás, eu estava ocupado aprendendo a programar um sistema de computador que não tinha memória e nem habilidade para arquivar programas. De fato, ele tinha menos capacidade que um relógio de pulso de cinco dólares. Hoje, aquela tecnologia está transformando o mundo dos negócios e das relações sociais.

Olhando para frente, as ferramentas para a grandeza vão continuar a ser conhecidas através da arte e das letras. Sem a habilidade da razão, nenhuma tecnologia pode ajudar. Mas habilidade com o computador e fluência *on-line* serão, no século 21, o equivalente a noções básicas de leitura de hoje. Sem um conhecimento total do trabalho, você será uma casualidade perdida na era da informação.

—John Uppgren
CIO (Chief Information Officer),
Gage Marketing Group

Muito antes de entrar para a McCann e se tornar seu *chairman*, Gene e seus jovens sócios formaram a Norman, Craig & Kummel em Nova York. Quando esta era apenas uma agência muito pequena, eles perderam a valiosa conta da Revlon, que representava 40 por cento do negócio. Mas Gene retornou no dia seguinte e manteve controle sobre seus nervos para fazer uma ligação de prospecção para a gigante Colgate-Palmolive Company. A resposta foi uma risada contida. O gerente da Colgate perguntou: "Por quais razões deveria eu contratar você, um garoto de trinta e poucos anos, de uma agência pequena, ainda começando?" Gene ficou quieto por um momento e respondeu: "Porque se você nos contratar, estará na verdade contratando cinco agências. As suas outras quatro agências são muito grandes e estão adormecidas.

Seja sempre, sempre, agressivo.

–Gene Kummel
Chairman emérito,
McCann-Erickson Worldwide

Coisas Que Você Fatalmente Irá Descobrir, Mesmo Que Ninguém Lhe Conte, Mas Por Que Não Conhecê-las Agora, Economizando Anos de Irritação e Aporrinhação – Sem Falar dos Problemas com "P" Maiúsculo.

Se você nos contratar — jovens, famintos e agressivos — você irá chocar toda a indústria e repentinamente acordar as suas outras quatro agências. E fazendo isto, você terá uma propaganda melhor de cada uma delas".

Gene conseguiu a conta. Anos depois, a Norman, Craig & Kummel não era apenas uma das principais agências independentes, mas tinha também se tornado a maior agência mundial da Colgate-Palmolive.

COISAS APRENDIDAS PELO CAMINHO

Coisas

Aprendidas

Pelo

Caminho

Dedique um tempo para "afiar o serrote".

–Charles "Red" Scott
Ex-presidente e *CEO*,
Activa Group

Red conta a história de um jovem andando na floresta. Ele encontrou um homem mais velho muito ocupado em serrar uma árvore enorme com um serrote enferrujado. Depois de caminhar um pouco mais, no caminho de volta ele encontrou novamente o velho homem ainda tentando serrar a mesma árvore. Ele não agüentou e gritou para o homem: "Meu senhor, você não vai conseguir desta maneira. Você precisa parar e afiar o serrote". O homem olhou para ele, com o rosto cheio de suor, e respondeu: "Eu não tenho tempo, não tenho tempo".

Nós todos precisamos tirar um tempo para dar uma parada e afiar o serrote, e não apenas ficar imersos nas nossas atividades diárias. Isto significa participar de seminários, ler livros, aprender sobre um outro campo, ou apenas gastar alguns minutos pensando. Não apenas trabalhe pesado; trabalhe inteligentemente.

Contrate as melhores pessoas que puder para trabalhar com você, e confie nelas de uma maneira que possam realizar o melhor trabalho para você e para elas próprias.

–MYRNA BLYTH
EDITORA-CHEFE E DIRETORA
DE PUBLICAÇÃO,
LADIES' HOME JOURNAL

Consumidores e clientes são o que dão força e independência. O que importa é o negócio que você controla, e não apenas saber o quão bom você é.

Quando entrei para a empresa de advocacia onde eu supunha que ficaria 25 anos, o sócio-gerente me disse: "Len, não se preocupe em trazer novos negócios, apenas concentre-se em atender os seus clientes e tudo ficará bem. Nós nos preocuparemos com a prospecção. Você se preocupará com a manutenção".

Eu segui aquele conselho desde então. Quando fui promovido a sócio, continuei atendendo "aqueles clientes" e o resultado foi que construí algumas amizades duradouras. Mas eu não procurava por negócios — negócios que eu poderia chamar de meus e que meus sócios iriam reconhecer como "meus". Eu me concentrava no lugar comum, "clientes da firma", ao invés de "meus clientes", ou "seus clientes". Enquanto eu fazia isto, outros na empresa continuavam a prospectar e conquistar novas contas.

Então, um dia eu me toquei que as coisas haviam mudado. O que determinava o meu poder era o negócio que eu controlava, e não apenas o quão bom advogado eu era. Um tanto estúpido para quem se achava bastante esperto.

Eu escrevo isto sem arrependimentos. Mas aconselho os jovens advogados a serem o melhor que eles puderem, mas nunca, nunca, se esquecerem de procurar novos negócios, onde e quando puderem.

–LEONARD ORKIN
SÓCIO,
WINSTON & STRAWN, NEW YORK

Contrate devagar. Demita rápido. Não são as pessoas que você demite que o machucam. São as pessoas que você não demite.

–Márcio Moreira
Vice-*chairman*,
Asia and Pacific McCann-Erickson
Worldwide

Coisas Aprendidas Pelo Caminho

Existem três virtudes que passei a apreciar depois dos 25 anos.

A primeira é a integridade. Seja honesto e objetivo nas suas comunicações e cobre o mesmo das pessoas com as quais se relaciona. De outra maneira, as relações estarão condenadas.

A segunda é a arte da persuasão. Você não será bem-sucedido se comandar ou cobrar, use apenas persuasão. A não ser nas tarefas mais simples, as pessoas precisam estar motivadas.

A terceira é a simplicidade. Uma solução simples pode ser entendida, desenvolvida e implementada. Com muitos fatores complicadores, as chances de sucesso diminuem exponencialmente.

–Daniel T. Scott
Chairman e *CEO*,
Scott Printing Corporation

1. Cortes de cabelo esquisitos, barbas, tatuagens, brincos e roupas extravagantes irão lhe custar mais de um milhão de dólares em lucro perdido ao longo de sua carreira no mundo dos negócios. Se você quer participar dele, pareça-se com ele.

2. Acredite no seu *feeling*. Administradores muitas vezes só se baseiam em fatos e números em detrimento da intuição. Não faça isto! Todas as vezes em que, sem exceção, negociando com alguém e tudo parecendo ir bem, meu radar interno apitou, algum problema, seja de natureza pessoal ou profissional, se seguiu. Acredite nos seus sentimentos inconscientes. Eles são o resultado da experiência de uma vida.

–Russ Hanlin
Presidente e *CEO*,
Sunkist Growers, Inc

Faça três coisas por ano que farão uma diferença no seu negócio. Descubra quais são elas e as persiga.

–Tom Laco
Ex-vice-presidente executivo,
Procter & Gamble Company

A Procter & Gamble costumava ter o que era chamado de "reuniões de *budget*". Eram reuniões "inquisitivas", nas quais os gerentes podiam "defender" o seu *budget*. Muitos executivos faziam perguntas muito detalhadas. Tom era diferente. Ele recostava-se na cadeira e depois que todos já haviam perguntado, ele vinha com a mesma questão: "Meu jovem, quais são as três coisas que você vai realizar o ano que vem que irão fazer uma diferença significativa?" O *feeling* de Tom era que o máximo que se podia fazer de importante a ponto de mudar um negócio eram três coisas. O restante era manutenção. O segredo, então, era decidir quais eram estas coisas e focá-las.

A vida não é justa. Não é para ser assim. Pare de se lamentar e choramingar e faça as coisas acontecerem para você.

Nos negócios, eu vejo muitas pessoas esperarem que o braço da justiça financeira apareça à noite, remova a parte feia das demonstrações, e a substitua pelo lucro no apagar da luzes, antes do fim do ano fiscal.

–Dick Butler
Executivo de Propaganda e
Consultor Internacional

Não tenha a mente fechada. Seja inquisitivo sobre tudo. Estude. Faça perguntas. Seja curioso. Esteja sempre aberto à aprendizagem. Siga as tendências — você nunca sabe qual vai estourar.

Alguns anos atrás, eu fui citado na imprensa por uma campanha que a minha agência havia feito para um cliente. Um leitor escreveu uma carta para o editor desafiando o meu comentário. Eu quis saber por que aquela pessoa tivera aquela reação, e decidi simplesmente ligar e perguntar. Aquela ligação transformou-se numa conversa. Aquela conversa, num encontro. Aquele encontro, numa relação, e a relação transformou-se na minha contratação pela Doyle Dane

Bernbach como presidente do escritório de San Francisco.

Tudo porque eu quis saber....

—Jerry Gibbons
Vice-presidente Senior, Região Oeste,
American Association of Advertising Agencies

Coisas Aprendidas Pelo Caminho

Talvez a única coisa que gostaria que tivessem me dito alguns anos atrás é que eu estivesse preparado. Por mais simples que seja este conselho, eu estou cada vez mais assustado de ver o quanto as pessoas estão malpreparadas.

Tente nunca entrar numa reunião sem saber, ou pelo menos ter imaginado, quais as soluções a serem encontradas. Como preparação para as reuniões, tenha respostas para o que você imagina serem as questões dos outros, não se concentre apenas no seu ponto de vista. Na produção de filmes — e na vida em geral —, a parte mais importante do processo é a preparação. Eu acredito que cada dólar gasto na preparação de maneira inteligente economiza cinco na produção ou na pós-produção.

–Dennis Brown
Ex-vice-presidente Executivo,
NBC Production

Você é capaz de ir somente até onde sua auto-estima lhe permite.

Nós todos nos limitamos. A nossa própria auto-imagem, adquirida através de exemplos e experiências, nos bloqueia. É um tipo de profecia da auto-realização. Se nós não pensamos que podemos, não podemos.

Não se ensina auto-estima na escola. Você está sozinho, com a responsabilidade de reconhecer e aceitar suas posturas a respeito de você mesmo.

—Bernard Chaisson
Gerente de Vendas Regional,
American Honda

Não se permita tornar-se um "conservador."

Se algo aconteceu mais de cinco anos atrás, esqueça. É irrelevante para o que está acontecendo hoje. Contrariamente a muitos outros negócios na produção de filmes, vale o que está acontecendo agora. Os consumidores mudam. As tendências mudam. Então, cinco anos atrás é pré-história. Mantenha-se atual. A experiência passada nunca é suficiente.

–Buffy Shutt
Presidente de Marketing,
Universal Pictures

Eu gostaria que alguém tivesse me dito que a idade e a experiência não são necessariamente a receita para a competência. Muitas vezes, no início da minha carreira, observei pessoas maduras, e assumi que, por causa das suas idades e posições, a excelência estava garantida.

Quando acabei a faculdade, entrei em uma empresa média, uma corretora na Bolsa de Nova York, para trabalhar como analista de fusões e aquisições. A empresa dividia sua operações em cinco grupos liderados por vice-presidentes. Essas pessoas seniores não tinham a menor familiaridade com os produtos e serviços que oferecíamos e nenhuma idéia sobre o que elas estavam gerenciando.

–J. Terrance Lanni
Presidente e *CEO*,
MGM Grand, Inc.

Contrate pessoas acima dos padrões.

Não é apenas uma questão de diferença entre bons resultados e excelentes resultados. É também uma questão de "divertimento." Quando você trabalha com pessoas acima da média, todos acrescentam efeitos especiais ao negócio, e os membros da equipe trabalham bem em conjunto. Antes de entrar para a Arby's, eu era presidente da El Pollo Loco, cadeia de restaurantes no sudeste da Califórnia. Eu tinha uma equipe muito pequena, mas integrada por pessoas realmente boas. Em menos de um ano o negócio estava reposicionado, crescendo rapidamente e fazendo dinheiro. Nós trabalhamos duro, mas tivemos bons momentos.

–Don Pierce
Presidente e *CEO*,
Arby's Inc.

Esqueça o "leite derramado".

Quando, trabalhando na aquisição da Bates pela Interpublic, a nossa oferta, depois de muito tempo, foi batida pela Saatchi, eu fiquei por um bom tempo me remoendo, acreditando que se tivesse feito as coisas de modo diferente, talvez tivéssemos assumido o negócio. Mas já havia sido decidido, e acho que foi melhor assim.

Também, posso me lembrar de ter ficado desapontado quando não fui escolhido para ser o *CFO (Chief Financial Officer)* de uma companhia regional constante da lista das 500 maiores empresas divulgada pela *Fortune;* aquilo me incomodou por quase um ano. Mas eu prossegui, e com o passar dos anos fui *CFO* de três empresas da lista.

–Eugene P. Beard
Vice-presidente Executivo de Finanças e Operações, The Interpublic Group of Companies, Inc

Visão, determinação e trabalho pesado não são sempre o suficiente. Insucessos algumas vezes significam simplesmente que os outros não compartilham dos seus sonhos.

Comprometa-se com um trabalho que contribua para o bem-estar social. Comprometa-se também, com a mesma energia, para a sociedade que está mais perto de sua casa, a sua família.

A educação / formação é um objetivo a ser perseguido a vida inteira. O sucesso requer constante aquisição de conhecimentos e habilidades para se competir num mundo de mudanças aceleradas.

–CHARLES E. YOUNG
DIRETOR, UCLA

Não veleje num mar cheio de baleias.

Todos encontramos um monte de "baleias" no decorrer das nossas vidas, e eu descobri que é melhor não velejar entre elas.

Um grupo de baleias é formado pelo nosso cônjuge e respectivos pais. Nunca critique os pais de seu cônjuge, e nem mesmo concorde com os comentários deste sobre eles. Outro grupo a evitar é o de dois "chefes" no mesmo período. E finalmente, fique fora do desentendimento entre duas crianças, dois estudantes, ou dois empregados. Deixe as pessoas esclarecerem suas diferenças sem a sua ajuda. Isto irá fortalecer as relações delas, e evitar que você se esprema entre as baleias.

–Dr. Jane H. Leuthold
Professora de Economia,
University of Illinois

Vinte e cinco anos atrás, eu gostaria que alguém tivesse me contado que eu poderia "fazer tudo", mas provavelmente não *tudo* ao mesmo tempo ou *tudo* por conta própria.

Nos meus quarenta anos, eu tinha adolescentes em casa, um *tour* nacional para o lançamento do meu livro, uma casa para remodelar, e meu marido vivendo uma crise na carreira. Eu terminei no hospital.

Foi quando eu comecei a aprender o valor das amizades, deixando as coisas passarem e aí pedindo ajuda. Eu adicionei, desde então, qualidade à minha vida, que inclui diversão, risadas, equilíbrio e amigos íntimos. Levar tão a sério a mim mesma, e mais o meu negócio e meu sucesso não estava surtindo bons efeitos.

—Sandra Winston
Escritora,
The Entrepreneurial Woman

Para recrutar "estrelas", peça indicação a "estrelas."

Como um recrutador de executivos, eu sou pago pelo meu cliente para encontrar e recrutar candidatos que sejam "estrelas" de verdade. O que eu descobri é que o mais eficiente modo de localizar os melhores profissionais é pedindo a outros profissionais do mesmo nível suas recomendações.

Pessoas tendem, na média, a recomendar outras como elas.

"Estrelas" irão recomendar "estrelas".

—CHARLES HARREUS
FUNDADOR,
HARREUS & ASSOCIATES

Coisas Aprendidas Pelo Caminho

Não tenha medo de ser diferente daqueles à sua volta. Não existe apenas uma resposta. Eu estava muito preocupado em "me encaixar" na General Foods. O que a empresa realmente precisava era de pessoas que fizessem o que fosse necessário para realizar o trabalho.

–Tom Romig
Ex-presidente,
Mattel Toys, Sports Division

Você não tem nenhuma parte de uma pequena empresa, a menos que tenha 51 por cento. O controle é como a vitória. Não é uma coisa. É tudo.

–ERIC STROMSBORG
PRESIDENTE,
KETT ENGINEERING

Coisas Aprendidas Pelo Caminho

Provérbios para as agências de propaganda:

1. O cliente, em última instância, é o consumidor: perca-o e tudo estará perdido.

2. Todos os problemas são problemas de "criação", cedo ou tarde.

3. Acredite nas idéias simples, nas sentenças simples, e na aritmética simples.

4. Desconfie de palavras de quatro sílabas e relatórios freqüentes de tranqüilidade.

5. Tome cuidado com o gerenciamento pela surpresa total.

6. Reuniões longas são sempre usadas para repartir a culpa.

7. É fácil conseguir uma votação unânime para não fazer nada.

8. É perfeitamente possível fazer excelentes comerciais de televisão, mesmo a cem milhas de casa.

9. A maioria das pessoas dá um baixo valor para aquilo que elas não sabem fazer por conta própria.

10. É difícil construir um ambiente de cooperação e receptividade, ele tem que começar de novo todo dia às 9h da manhã — um de hostilidade não.

–Paul Foley
Ex-presidente do Conselho,
The Interpublic Group of Companies, Inc.

O que acontece a você na vida é menos um resultado de conseqüências previsíveis e treinamento do que de uma série de ocorrências e as nossas respostas a elas. Estas respostas são moldadas pelos nossos valores, crenças e experiências, muito mais do que pela educação formal. Então, a conclusão é que devemos aprender por todos os meios e de todas as pessoas, não apenas daquelas que carregam o título de "professores".

Conversas com milhares de pacientes ensinaram o seguinte: (1) seja flexível e crie mais de uma imagem da sua vida que pode deixá-lo feliz; (2) nunca compare você próprio ou o seu valor com a sua ocupação; (3) ame as pessoas muito mais que os objetos.

—Dr. Lee Reitler
Presidente,
South Bay Medical Group

Nunca suceda a John Wooden.

John Wooden foi o mais famoso e bem-sucedido treinador da história dos esportes universitários. Em doze anos, ele venceu dez vezes, pela UCLA, o torneio de basquete da NCAA, sete das quais com títulos consecutivos. A equipe estabeleceu um recorde de 88 vitórias consecutivas e ele se transformou numa lenda.

Quando John se aposentou, no ápice da carreira, ele deixou montado um programa de treinamento bem-detalhado e uma grande história de sucesso. Mesmo os treinadores que seguiram os conselhos de John não foram vistos com tanto sucesso. Vencer já não era o bastante. As medidas de avaliação tinham ido além das capacidades humanas. Depois de John

Wooden, nenhuma conquista menor que a "perfeição" seria o bastante.

Ocasionalmente, a mesma situação pode acontecer nos negócios. Um negócio com muito sucesso dirigido por uma "lenda" precisa de um sucessor. Agora, suponha que você foi recrutado para o cargo. Pare! Pense! Fuja!

Esse tipo de situação não é saudável para sua carreira. É uma oportunidade que só leva a expectativas irreais, pouco crédito pelo trabalho bem-feito, e nenhum momento de descontração no trabalho.

Nunca suceda a John Wooden. Em vez disso, aceite um desafio que ofereça muito espaço para crescer. Aí, você poderá ser um John Wooden, não seu sucessor.

—Jim Helin
Ex-diretor Gerente,
DMB&B, Los Angeles

As pessoas boas vêm em embalagens diferentes.

Eu admiro aquele que tenha sido capaz de conviver com pessoas de todos os tipos. Malcolm Forbes foi um exemplo para mim. No seu enterro, estavam desde ex-presidentes até motociclistas do grupo Hell's Angels — e todos se referindo a ele como amigo.

Celebre a diversidade e use-a para sua vantagem. Nos negócios, 95 por cento da inteligência de uma organização está geralmente muitos níveis abaixo da "gerência". A pessoa do setor de expedição pode lhe contar como resolver um problema. A sua secretária sabe o que realmente está acontecendo. A recepcionista escuta o que os consumidores na verdade pensam sobre a sua empresa. É só você perguntar. Não há qualquer problema em se conversar com estranhos.

–Bill Flatley
Diretor de Propaganda,
Forbes Magazine

Vinte e cinco anos, atrás eu gostaria que alguém tivesse me contado que o verdadeiro significado da vida só seria encontrado na moldagem dos valores dos meus filhos, e não no meu sucesso profissional.

Eu também aprendi que as pessoas vivem fases distintas. O que parece óbvio e absoluto aos vinte ou trinta pode ser visto de maneira mais cética mais tarde.

–Harold S. Kushner
Escritor e Raeino,
Natick, Massachusetts

Quase todos que responderam à pergunta "O que você gostaria que alguém lhe tivesse contado 25 anos atrás?" fez este adendo de uma forma ou de outra.

É claro que todos nós precisamos trabalhar duro, focado nas nossas metas, buscando um equilíbrio entre os principais segmentos das nossas vidas. Mas também precisamos relaxar, apreciar cada dia, assumir 100 por cento da responsabilidade pela nossa própria felicidade, e ir mais a campo atrás das margaridas.

Lembre-se que a chance de um espermatozóide e um óvulo se unirem é de um em duzentos milhões. Cada um de nós já ganhou o maior prêmio de toda a história da loteria — estamos aqui lendo este livro. Então, relaxe e curta a vida. Esta coisa chamada vida é um belo lugar para se estar.

Curta a vida.

–Todo mundo

E FINALMENTE:

AS *HINDSIGHTS* MUITO PRÓPRIAS E PARTICULARES DO AUTOR

E Finalmente: As *Hindsights* Muito Próprias e Particulares do Autor

Por muitos anos, eu vim pesquisando a resposta dos outros para a pergunta "O que você gostaria que alguém tivesse lhe contado 25 anos atrás?" Aqui está a minha própria:

1. Busque os seus sonhos.

Transforme-se na verdadeira pessoa que existe dentro de você. Escute aquela "vozinha" que vem de dentro, que é a pessoa que você era quando adolescente. Aquele é o verdadeiro você. Não faça necessariamente o que os outros acham que você deveria fazer. Faça o que você ama com toda a intensidade, e tudo mais, quase sempre incluindo o dinheiro, que virá como decorrência.

Para buscar os seus sonhos, simplesmente transforme-os em metas, o que Marjorie Blanchard chama de "sonhos com *deadlines*". Escreva as suas metas num papel e não as mostre para ninguém. Esta é a única maneira de você ser totalmente honesto com você mesmo. Mantenha-as com você e leia-as de vez em quando. Você vai descobrir que tudo no mundo fica mais fácil para quem sabe para onde está indo.

2. Abrace sua família.

A sua família é mais importante do que você imagina, e terá se ido antes do que você espera. Eu tenho três fotos na minha mesa. Uma de mim com meus pais, e as outras duas, com minha esposa e meus filhos, durante as férias. No escritório, eu não tenho nenhuma foto em que eu esteja trabalhando até tarde, fazendo uma negociação, ou indo para um jantar *black-tie*. Eu não tenho uma foto minha fazendo um depósito no banco, voando de primeira classe para Tóquio, ou obtendo uma margem de retorno de 28 por cento para a minha empresa. Apenas da família.

Geralmente, uma criança parte para a faculdade ou para sua carreira aos dezessete anos. O que são dezessete anos numa expectativa de vida de 85? Você só terá os filhos em casa em 20 por cento da sua vida.

Quando as minhas crianças estavam crescendo, a minha esposa nunca perdeu um jogo de futebol delas, uma competição de natação, um jogo de vôlei. Eu não estou dizendo que ela esteve presente na maioria das situações — ela esteve presente em todas, enquanto ainda mantinha sua carreira de corretora imobiliária. Eu estava fora, resolvendo "assuntos importantes" no escritório, enquanto ela dava suporte integral para os meninos. Eu a amo por isto.

3. Encontre uma fé que funcione para você.

Fé é, para a maioria de nós, uma coisa muito pessoal. Você pode não precisar da sua fé hoje ou no próximo ano. Podem se passar vinte anos. Mas o tempo vai chegar. Encontre um meio de equilibrar o lado espiritual com as outras áreas dos negócios, vida pessoal e familiar. A fé não pode ser provada. Apenas confie na sua intuição. Alfred Lord Tennyson disse:

"Em decorrência do que eu tenho visto, eu acredito no que não posso ver".

Para encerrar, meu desejo é que você aproveite cada momento e não se sinta egoísta por isto. Nas palavras de Nadine Stair, "tomando mais sorvetes...me divertir mais nos carrosséis...pegar mais margaridas". Curta o pôr-do-sol de hoje. Você o viu? Estime o companheirismo dos seus verdadeiros amigos. Quando foi a última vez que ligou para eles? Reserve um tempo para admirar as árvores de que você gostava tanto e nas quais vivia subindo quando criança. Fique em paz consigo mesmo, com quem você é.

Finalmente, relaxe e curta o seu caminho. Ontem é passado. Amanhã ainda não chegou. Mas hoje é absolutamente glorioso. E é seu para aproveitar.

Tenha maravilhosos próximos 25 anos.

LISTA DOS COLABORADORES

BANCO DE NEGÓCIOS

Envie-nos seus dados. Além de nos ajudar a identificar futuros títulos, você será informado dos novos lançamentos e passará a receber regularmente nosso newsletter, onde iremos discutir sobre as novas práticas administrativas e muitos outros assuntos ligados a negócios.

BANCO DE NEGÓCIOS

NOME: ____________________

ENDEREÇO: ____________________

CIDADE: ____________ ESTADO: ________ CEP: ________

TEL.: ________ FAX: ________ E-MAIL: ________

CARGO QUE OCUPA: ____________________

EMPRESA: ____________________

ESTE ENDEREÇO É: ☐ RESIDENCIAL ☐ COMERCIAL

FAIXA ETÁRIA:
☐ - 18 ☐ 18 - 25 ☐ 26 - 35 ☐ 36 - 45 ☐ 46 - 55 ☐ 56 - 65 ☐ +65

FORMAÇÃO ESCOLAR:
☐ ATÉ 2º GRAU ☐ ESTUDANTE UNIVERSITÁRIO ☐ GRADUAÇÃO UNIVERSITÁRIA ☐ MESTRADO/DOUTORADO

ESTADO CIVIL:
☐ SOLTEIRO ☐ CASADO ☐ SEPARADO/DIVORCIADO

NÚMERO DE LIVROS DE NEGÓCIOS COMPRADOS NO ÚLTIMO ANO:
☐ 0 - 5 ☐ 6 - 10 ☐ 11 - 15 ☐ 16 - 20 ☐ + 21

NÚMERO DE EMPREGADOS NA EMPRESA ONDE TRABALHA:
☐ 0 - 10 ☐ 11 - 50 ☐ 51 - 500 ☐ 501 - 1000 ☐ + 1000

QUAIS REVISTAS OU JORNAIS VOCÊ LÊ REGULARMENTE ?

____

QUAL FOI O ÚLTIMO LIVRO DE NEGÓCIOS QUE VOCÊ LEU E RECOMENDARIA A UM AMIGO/COLEGA DE TRABALHO ?

____

OS ASSUNTOS DE SEU INTERESSE:
☐ BIOGRAFIAS ☐ MARKETING ☐ NOVAS TENDÊNCIAS ☐ RECURSOS HUMANOS ☐ ESTRATÉGIA ☐ QUALIDADE
☐ PRODUÇÃO ☐ FINANÇAS ☐ ECOMONIA ☐ CULTURA EMPRESARIAL ☐ PSICOLOGIA NAS ORGANIZAÇÕES
☐ OUTROS ____________________

ONDE VOCÊ COMPROU ESTE LIVRO? ____________________

QUAL A SUA AVALIAÇÃO DESTE LIVRO? ☐ RUIM ☐ REGULAR ☐ BOM ☐ ÓTIMO

ASES

PRT/SP 6249/95
UP AC. CENTRAL
DR/SP

CARTÃO - RESPOSTA

NÃO É NECESSÁRIO SELAR

O SELO SERÁ PAGO POR

NEGÓCIO EDITORA

05999-999 SÃO PAULO - SP